目次

牌光旭
泡灯電
光旭
灯光日
蘋菓西打

National

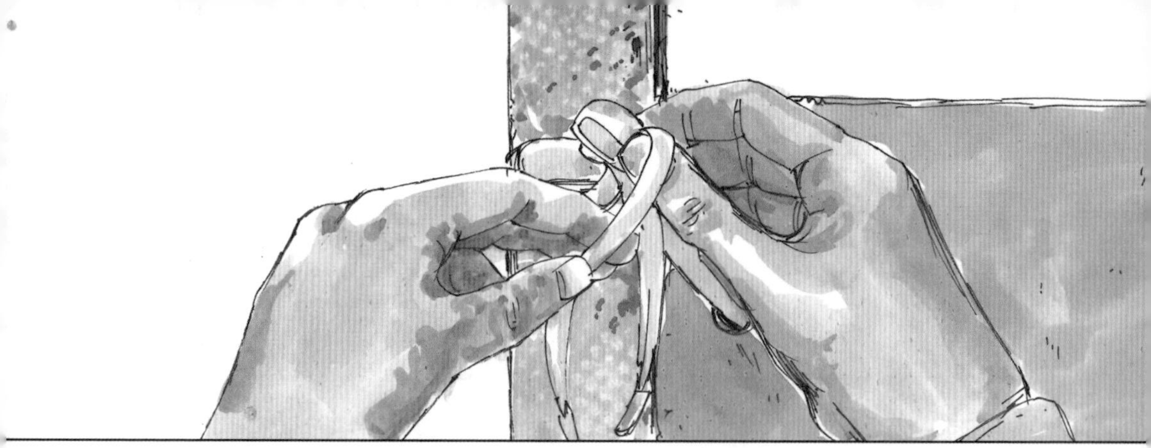

稀奇魔術道具
四連環
魔法繪本
神奇墨水
鈔票
四連環
魔法大全
倒水杯
吹不熄

魔法繪本

MILD
SEVEN
TOSHIBA
旭光冷氣

天橋上的魔術師

人的眼睛所看到的事情，不是唯一的。

我真正想當的是魔術師，但我變魔術的時候會很緊張，只好避難於文學的孤獨中。

——加布列・賈西亞・馬奎斯（Gabriel García Márquez）

走啦，去公園玩啦。
一起去啦，十分鐘就回來又不會有人知道。
哎喲，不行啦！
我東西不見誰要賠。
你叫變魔術的幫你看一下！
才不要。

不然明天返校以後一起去。
喔，好啦。

阿蓋仔行了喔，袂赴啊啦。
喔，好啦！
哥，等我啦！
阿弟仔，鞋苴（鞋墊）按怎賣？
一雙二十，三雙五十喔。

我媽常說「生意囝歹生」，這是她對我的評價，隱藏著小小的遺憾。
但這樣的遺憾並不存在我十歲以前，因為那時候據說我是很會做生意的。
上小學那年，我媽想到一個點子，她說，你可以去天橋賣鞋帶跟鞋墊。
人家看你小孩子，一定會買的。
小孩子天真的臉本身就是人生為了要讓我們勇於活下去所設下的騙局。
這事我到很久以後才了解。

啪！
啪！
啪！
啪！
涼被
全面
幹嘛？
呃？
唔？
喔，要開始了。

喀！
沙！
魔術
神奇的魔術要開始囉！
四連環
魔法
來！往這邊看過來！
免費的表演錯過可惜！

天橋上賣什麼東西的小販都有，有賣叭噗的，有賣小孩衣服的
有賣燒餅的，
燒餅
燒餅
豆漿
有賣華歌爾內衣的，有賣金魚、烏龜和鱉和海和尚*的。
我的對面是一個穿著沒綁上鞋帶，髒兮兮傘兵鞋的男人，一個賣魔術道具的。
我想是不是要跟他推銷立可擦鞋油，一擦就亮晶晶。
術

*一種藍色的螃蟹

小不點，我不是賣魔術道具的，
我是真的魔術師。
咕嚕。
坦白說，我有點怕他。
他用那雙分得很開，好像可以看不同地方似的、蜥蜴一樣的眼睛看著我。
喀啦！ 喀啦！

他最常變的是
骰子、撲克牌、九連環這類戲法，
現在想想實在太平常了，
但當時對我來說簡直是不得了的奇蹟。
就好像後來我第一次
在電影裡看到費雯麗一樣。
這個骰子能聽到你們心裡面的數字。
小妹妹說六一一二五喔。
看好！

對了嗎？
好厲害，怎麼變的？
喔喔喔！我要買這個魔法骰子！
……
我渴望擁有那些魔術道具，
就好像我一直想養一隻麻雀……。

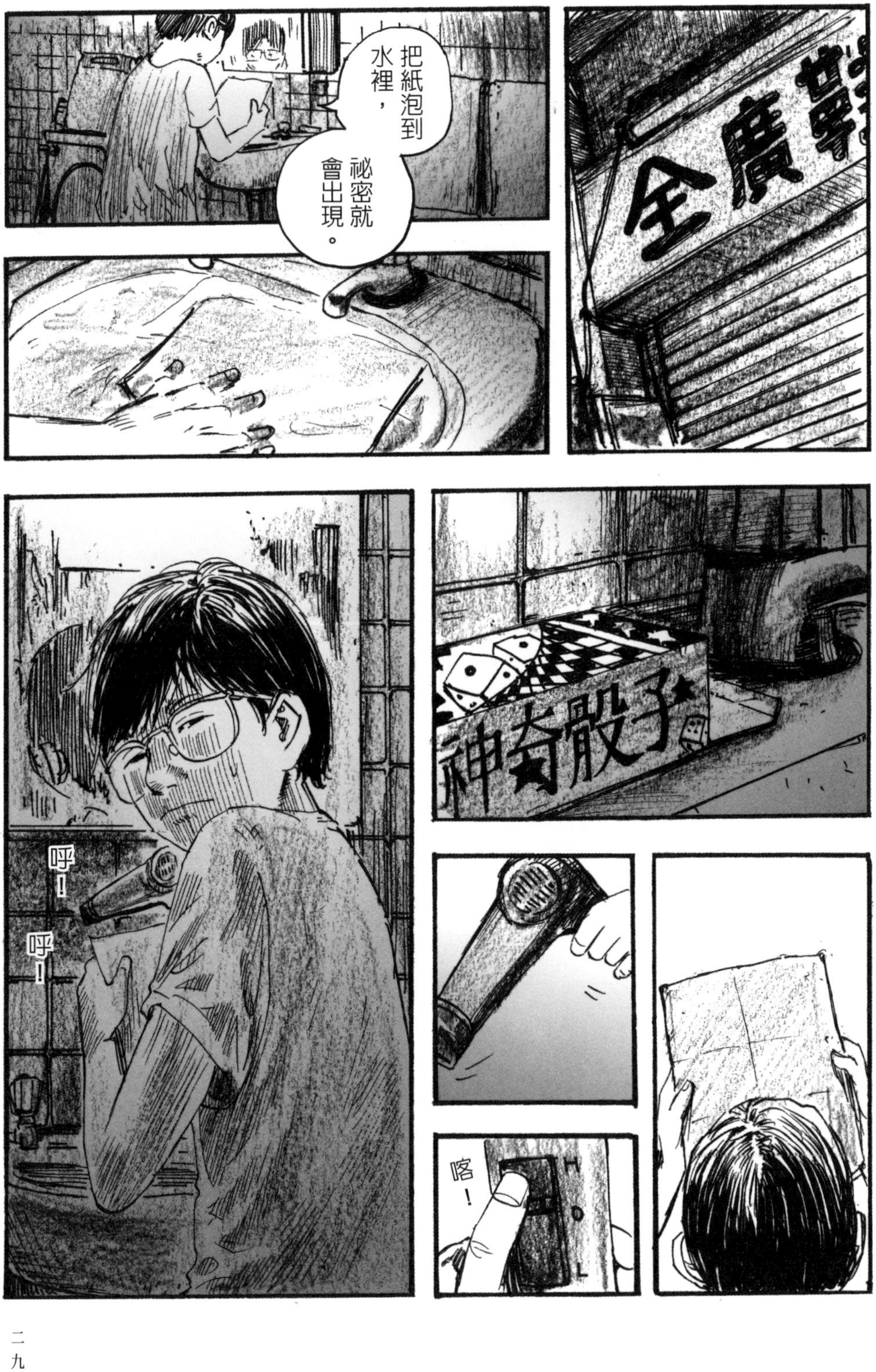
全廣
把紙泡到水裡，
祕密就會出現。
神奇骰子
呼！
呼！
喀！

嗡！
嗡！
嗡！
嗡！
神奇骰子的夏
先將
嗡！
嗡！
唔！字跑出來了！
哈！
嗚！

原來如此……
←視窗
④ 左手覆蓋骰子盒
這就是祕密啊！
那時我以為自己已經懂了魔術的奧祕，
就好像十一歲暗戀同班同學的時候，我誤以為已經懂得愛情。

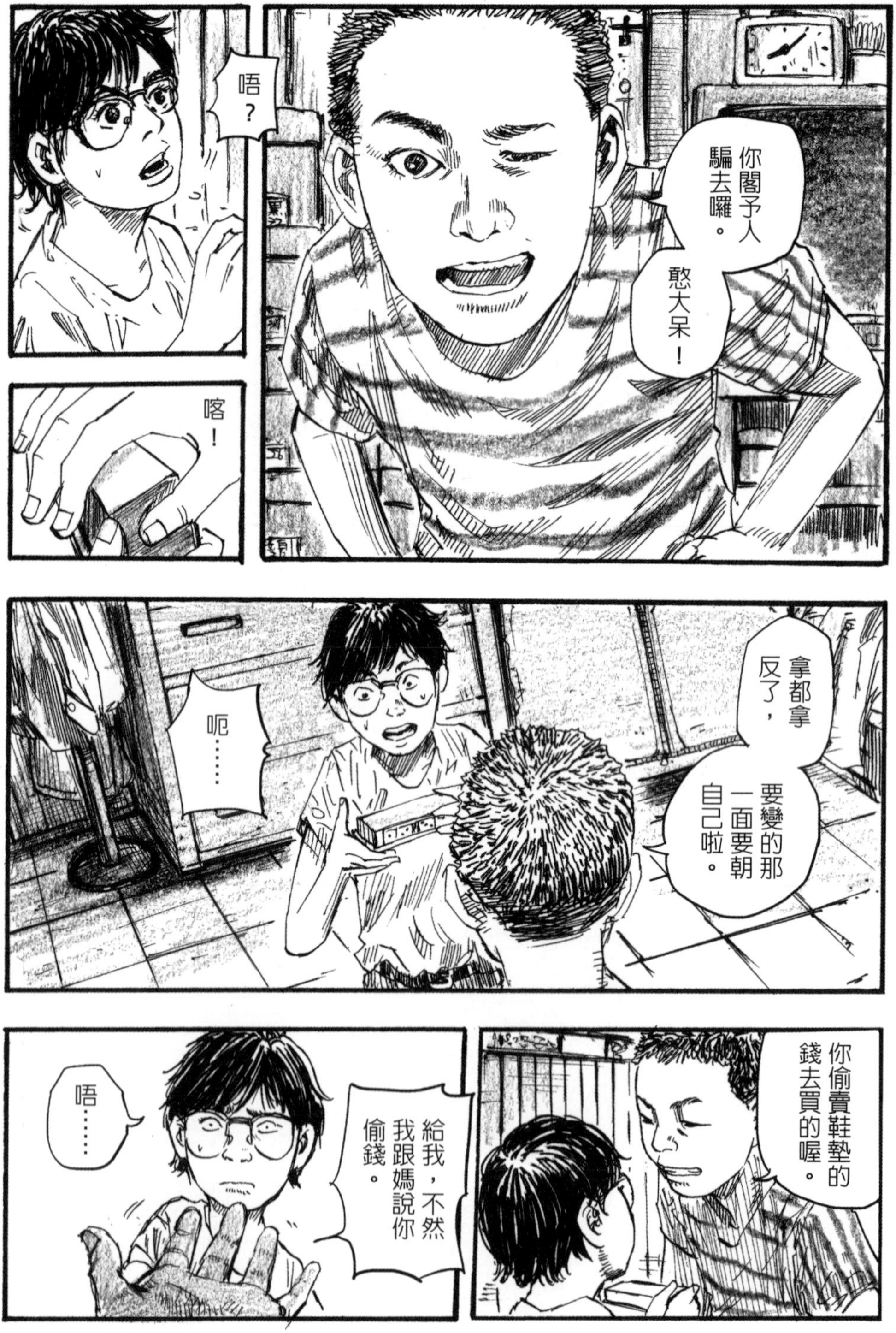
你闇予人騙去囉。
憨大呆！
唔？
喀！
拿都拿反了，要變的那一面要朝自己啦。
呃……
你偷賣鞋墊的錢去買的喔。
給我，不然我跟媽說你偷錢。
唔……

我痛恨算命師跟拆穿別人魔術的人，那就像你還沒有長大就被預告了人生一樣。
喀！
可惡！這個祕密實在太貴了。
嘎啦！
嘎啦！
快變啊！
哇，真的是六個三耶。
好厲害，教我啦！
教我啦！
……

說來奇怪，即使我發現那裡頭沒有魔法，每回一看到魔術師拍手吆喝，我就把那些被欺騙的念頭丟棄了。
我不由自主地一次又一次被魔術師的手法吸引，一樣一樣買下在當時我的眼中貴得要命的魔術道具。
憨囝仔，予人騙了了還敢說！
來看真正的魔術喔！
被騙錢我一點都不生氣，可是，用隱形字寫的祕密每個買了魔術道具的人都有，
那種感覺真讓人受不了。

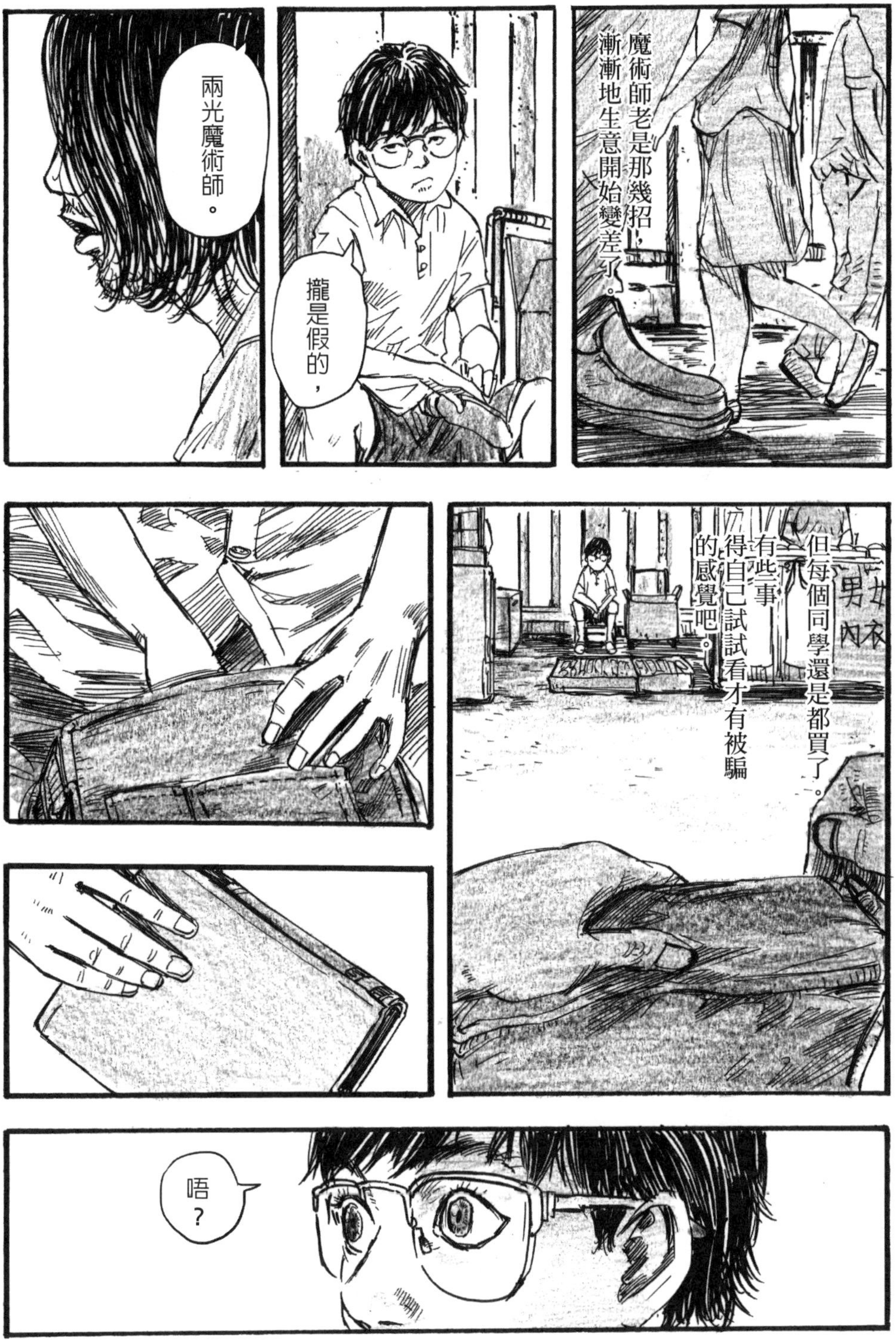
魔術師老是那幾招，漸漸地生意開始變差了。
攏是假的，
兩光魔術師。
但每個同學還是都買了。
有些事得自己試試看才有被騙的感覺吧。
唔？

嘶!
喀!
喀嚓!
喀嚓!
沙!
沙!

唔？
（咒語）

那個用紙剪出來的小黑人竟然搖搖晃晃，像剛剛醒來似的站了起來。
他有點生澀地跳起舞來，一會兒跑向東一會兒跑向西，
動作雖然有些彆扭卻很可愛，好像自己也很怕用力過猛而破掉似的，
畢竟紙這東西不太適合過於激烈的動作啊。
如果他上體育課的話，一定非常危險吧。

嘿咻！
那是用釣魚線拉的啦。
不可能啦，他手又沒動。
啊，我知道了用磁鐵。
屁啦，小黑人是紙做的耶。白癡。
昨天我想偷偷伸手去摸，
魔術師大叫說：「摸了的人會不幸喔，但看他跳舞的人會幸運。」
真的嗎？

會不會是…
魔術師養了「垃圾物仔*」啊！
哈哈，滾笑的啦，無囊鳥仔喔。
你把佩佩嚇哭了啦。
嗚嗚～
別哭啦，小黑人那麼可愛，
怎麼會是「垃圾物仔」。
別哭了啦，我買叭噗給妳吃。

*髒東西，指小鬼之類的。

魔術師的小黑人在天橋上出了名，
附近所有小學生都來過天橋了。
嘖！
好多人喔。
小黑人害羞地，
笨拙地跳著小黑人之舞，
然後彎下紙做的腰
跟觀眾鞠躬，
用紙做的手向觀眾打招呼。
看都
看不到了。

耶！看到了！
不管看多少次，都不會膩。
不知道小黑人在跳舞時都想些什麼？

小黑人會不會也有小黑人才有的煩惱？
世界上是不是有一間小黑人才能去上的學校？
小黑人上的學校都教些什麼呢？
也要背九九乘法表嗎？
有沒有音樂課呢（否則小黑人怎麼會跳舞）？
小黑人招招手要我跟他走，
我們走著走著走進一片森林裡，
我們在森林裡唱歌，然後玩捉迷藏。

森林的盡頭有微微的亮光，小黑人說別去那裡。
我問為什麼？
那裡明明很亮。
他說
有些地方你以為很亮，
卻是很深。

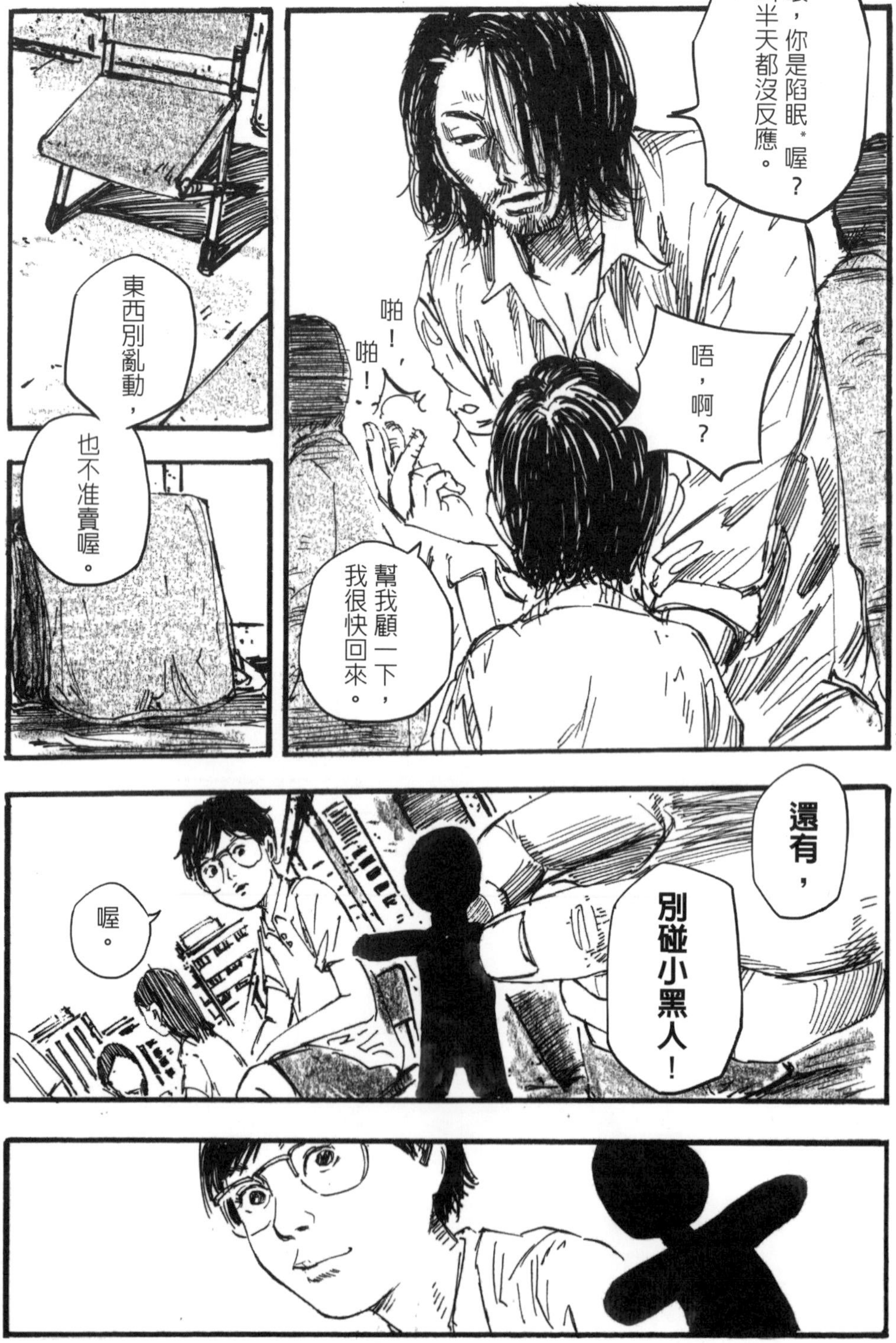
喂，你是陷眠*喔？叫半天都沒反應。
唔，啊？
啪！啪！
幫我顧一下，我很快回來。
東西別亂動，也不准賣喔。
還有，別碰小黑人！
喔。

*作白日夢

小不點，
絕對別碰小黑人喔！
好。
……

喂！
你還記得一起去森林的事嗎？
要像魔術師那樣拍手，你才會醒過來嗎？
啪！啪！

對，還有咒語。
……
（咒語）

動了！動了！
咻！
旭光電器
啪！
……
啪！

原來是風……
千萬別碰！
啪搭！
咦？
萬一被風吹走怎麼辦？

雨來囉！緊快收物件喔！
雨傘展開！
物件收快點！
阿弟仔緊收攤仔啊。
唔，毋過——
溚！
溚！
溚！
溚！

憨囝仔，是在創啥貨？
小……小黑人！
……
哇！

啊，小黑人！
啪！
呼呼，差一點。

啊！
小黑人貼在地上，
絕望地打開一隻手跟兩隻腳。
唔嗚……
唔嗚嗚嗚——
嗚嗚，
對不起……

嗚嗚，小黑人手斷掉了啦，
小黑人死掉了啦……
嗚嗚嗚……他被我害死了啦。
……
呼！呼！
跳舞小黑

我感覺心破了一個洞，彷彿它原本就是紙做的一樣。
隔天我媽催我去擺攤的時候，我的心情糟得不得了。
我不想擺在魔術師的前面，又很想擺在他前面，
問他小黑人到底怎麼了？

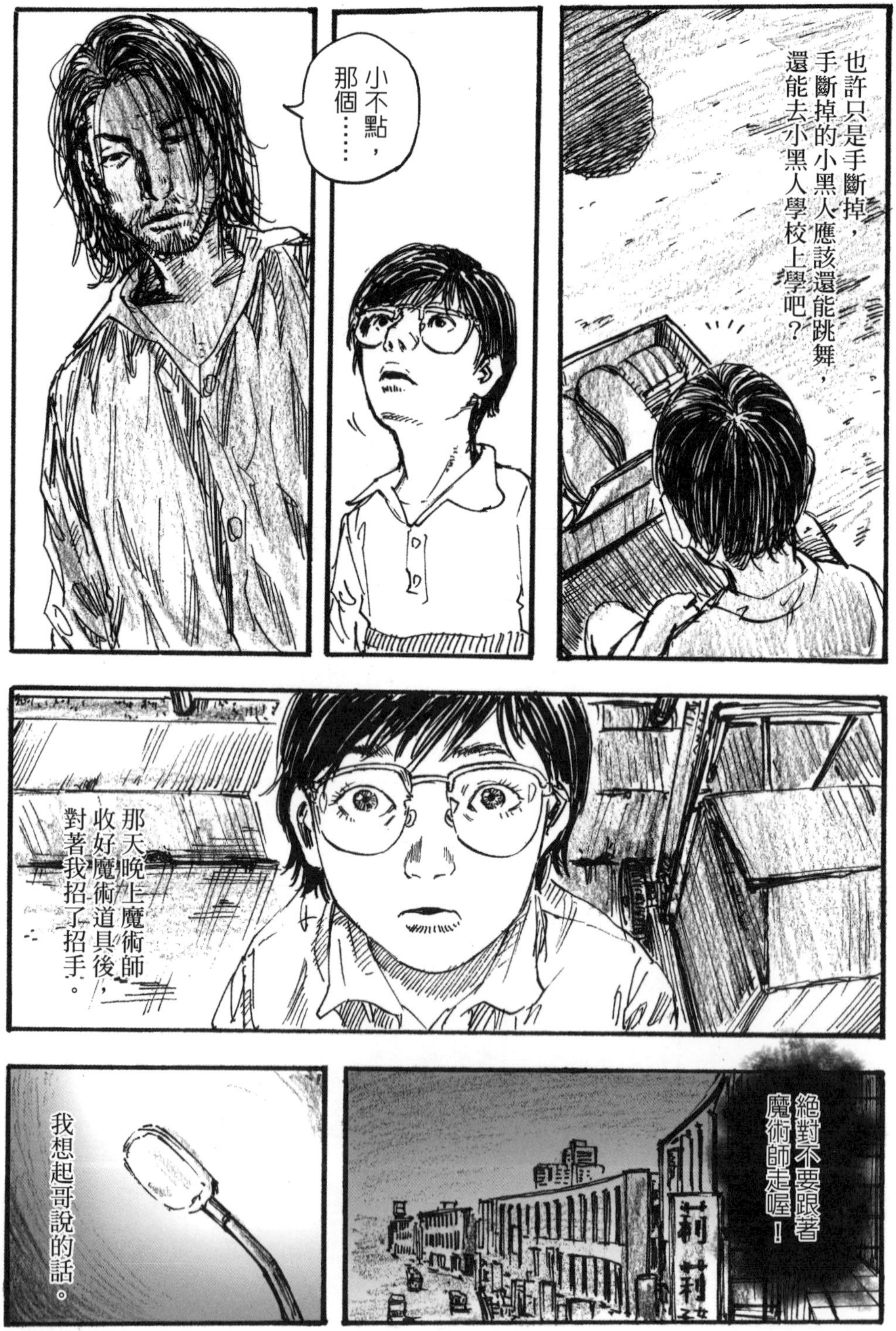
也許只是手斷掉，
手斷掉的小黑人應該還能跳舞，
還能去小黑人學校上學吧？
小不點，
那個……
那天晚上魔術師
收好魔術道具後，
對著我招了招手。
絕對不要跟著
魔術師走喔！
我想起哥說的話。
莉莉

但我著魔似的跟上他，
心跳得很厲害，
他一直往前走，
直到穿過了天橋
走到商場最後的角落，
那裡有一道門。
那是通往商場天台的門，
大人說不可以
跑上去的地方。
魔術師用手一轉，
鎖就開了，
他招了招手要我上去。
咕嚕。

魔術

一分鐘讀心術
你住在這裡？
嗯，
不過有一天，我會離開。
去哪裡？
不知道，都好。
魔術師不能在同一個地方太久。
沙！
啪！

呃！
沙！
嗚……

小黑人沒有死，沒有死對吧？
我也不知道。
小不點，世界上有些事情，永遠都不會有人知道。人的眼睛所看到的事情，不是唯一的。
為什麼？
因為有時候你一輩子記住的事，
不是眼睛看到的事。
那你教我小黑人的魔術，
要是你突然死了，至少還有人會。

小不點，
我所有的魔術都是假的，只有這個小黑人是真的。
魔術師有很多祕密，
有很多祕密的人，活得不快樂。
因為是真的，所以跟別的魔術不一樣，所以沒辦法學。
那你把小黑人送我。
我想當魔術師。
你不適合。
小不點，你捉過蝴蝶嗎？
有啊。

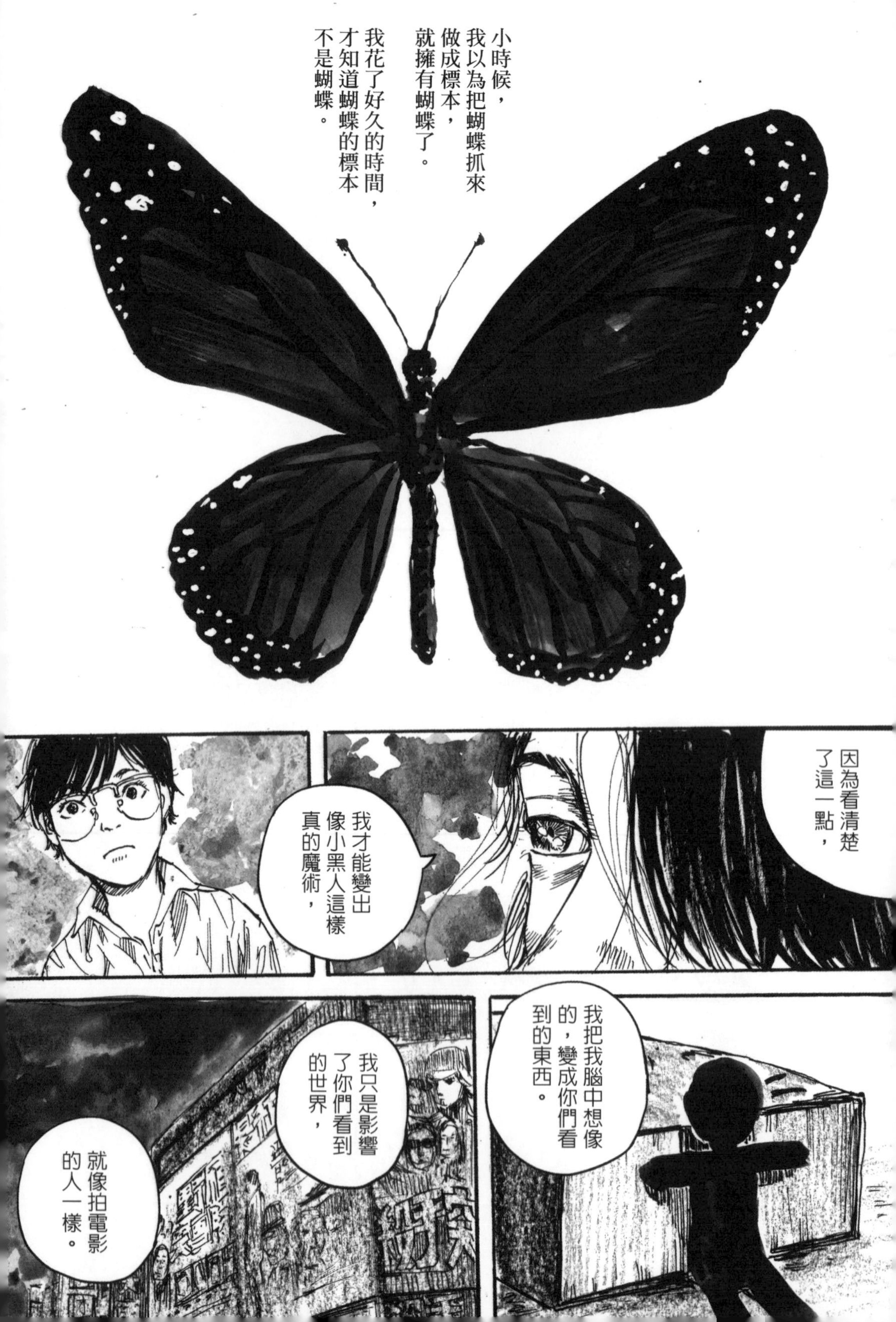
小時候，我以為把蝴蝶抓來做成標本，就擁有蝴蝶了。
我花了好久的時間，才知道蝴蝶的標本不是蝴蝶。
因為看清楚了這一點，
我才能變出像小黑人這樣真的魔術，
我把我腦中想像的，變成你們看到的東西。
我只是影響了你們看到的世界，
就像拍電影的人一樣。

我側著頭，旁邊廣告黑松沙士的巨型霓虹燈發出嗤嗤嗤的聲音。
藍色的霓虹燈讓他的眼睛發出藍色的光，綠色的霓虹燈讓他的眼睛發出綠色的光。
我想著魔術師的話，對他說的「真的」魔術深深感到迷惘。
那有什麼辦法能做到呢？像是讓小黑人跳舞那樣的事。
小不點，我沒辦法告訴你。
不過，我跟你很投緣。
我把這東西送給你好了，
你可以自己決定要怎麼用它。
魔術師慢慢把食指、中指和拇指稍微彎曲，插進自己的左眼裡，把左眼取了下來，放在右手掌上。

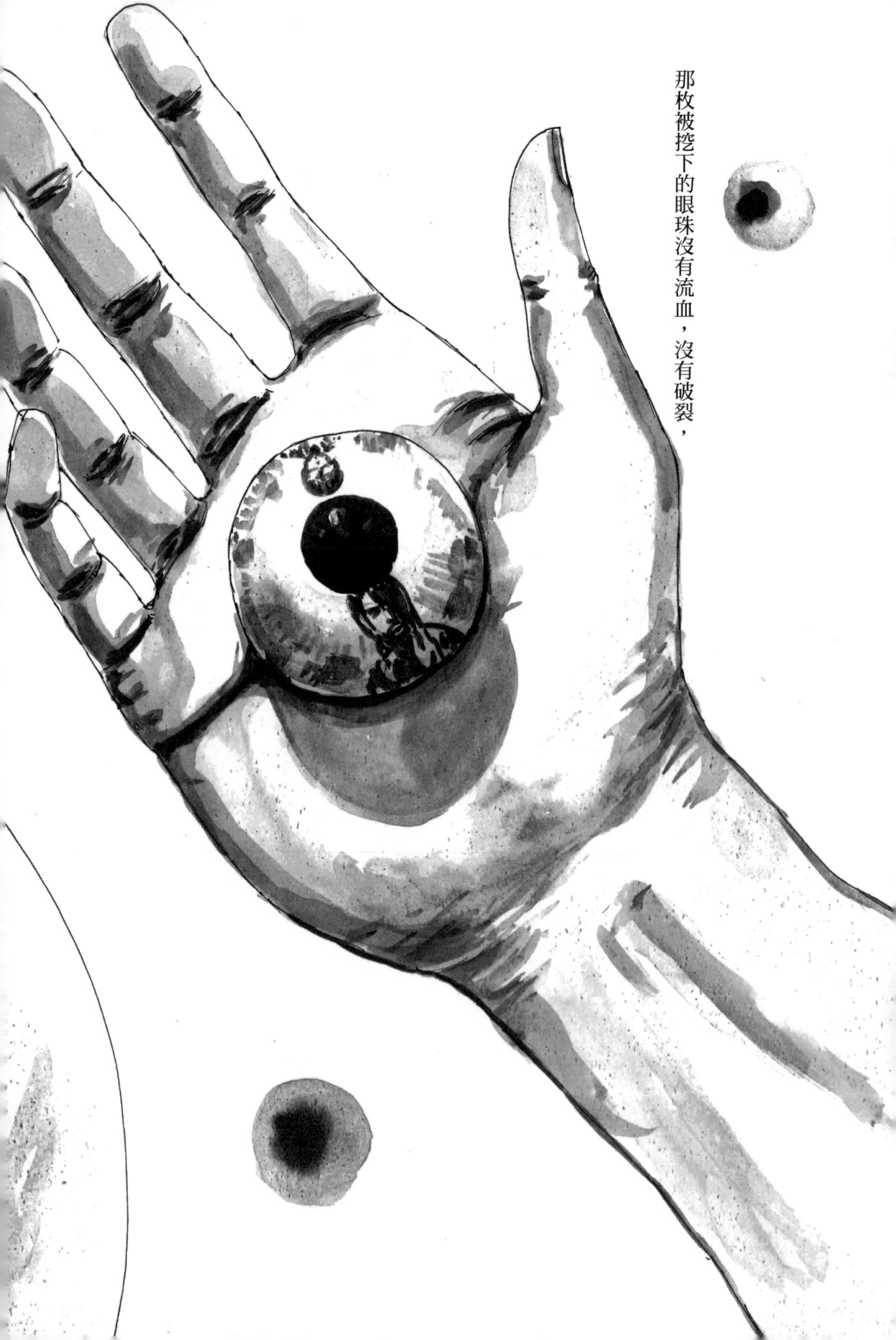

那枚被挖下的眼珠沒有流血，沒有破裂，

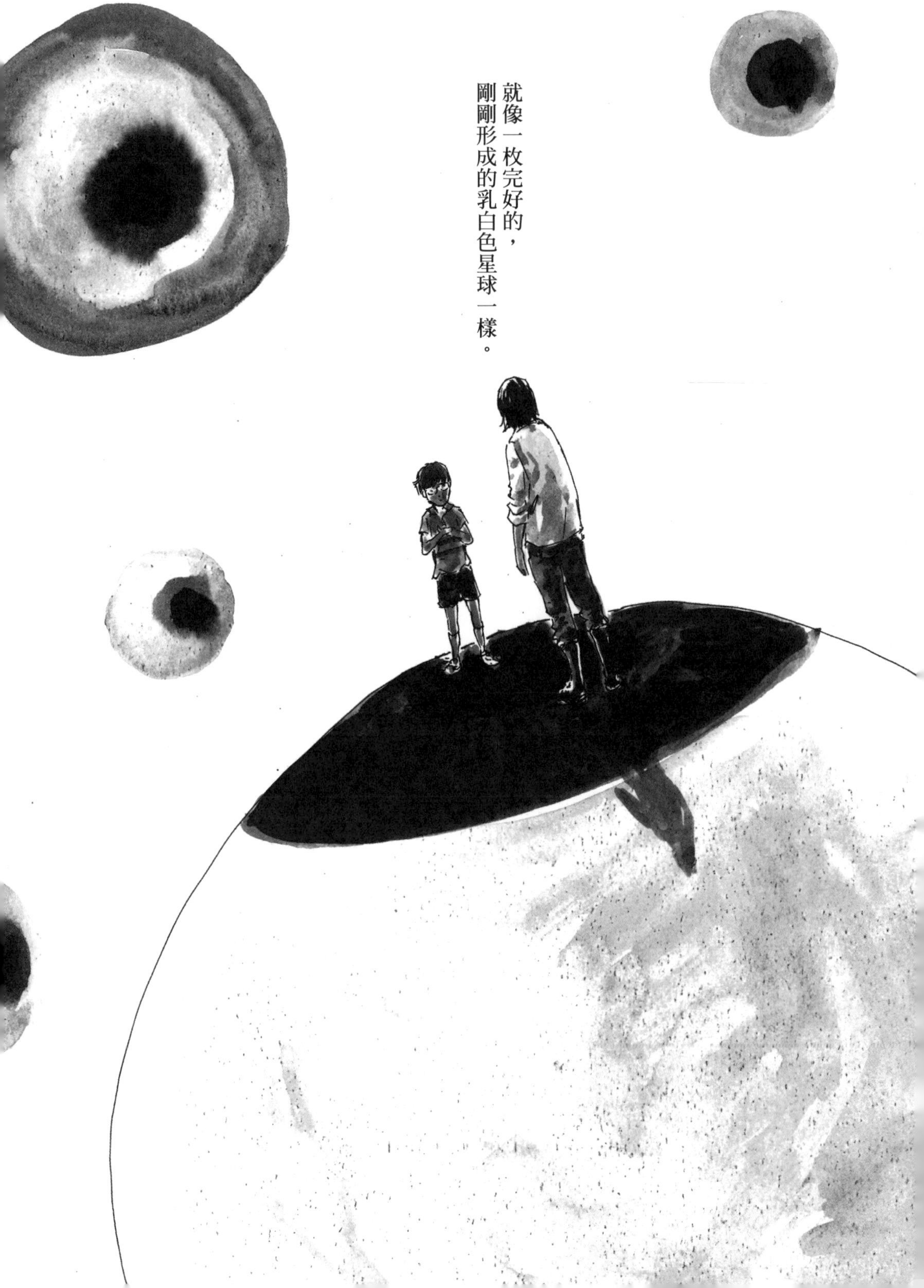
就像一枚完好的，
剛剛形成的乳白色星球一樣。

石獅子會記得哪些事？

每一盞會亮的燈，必然會熄。

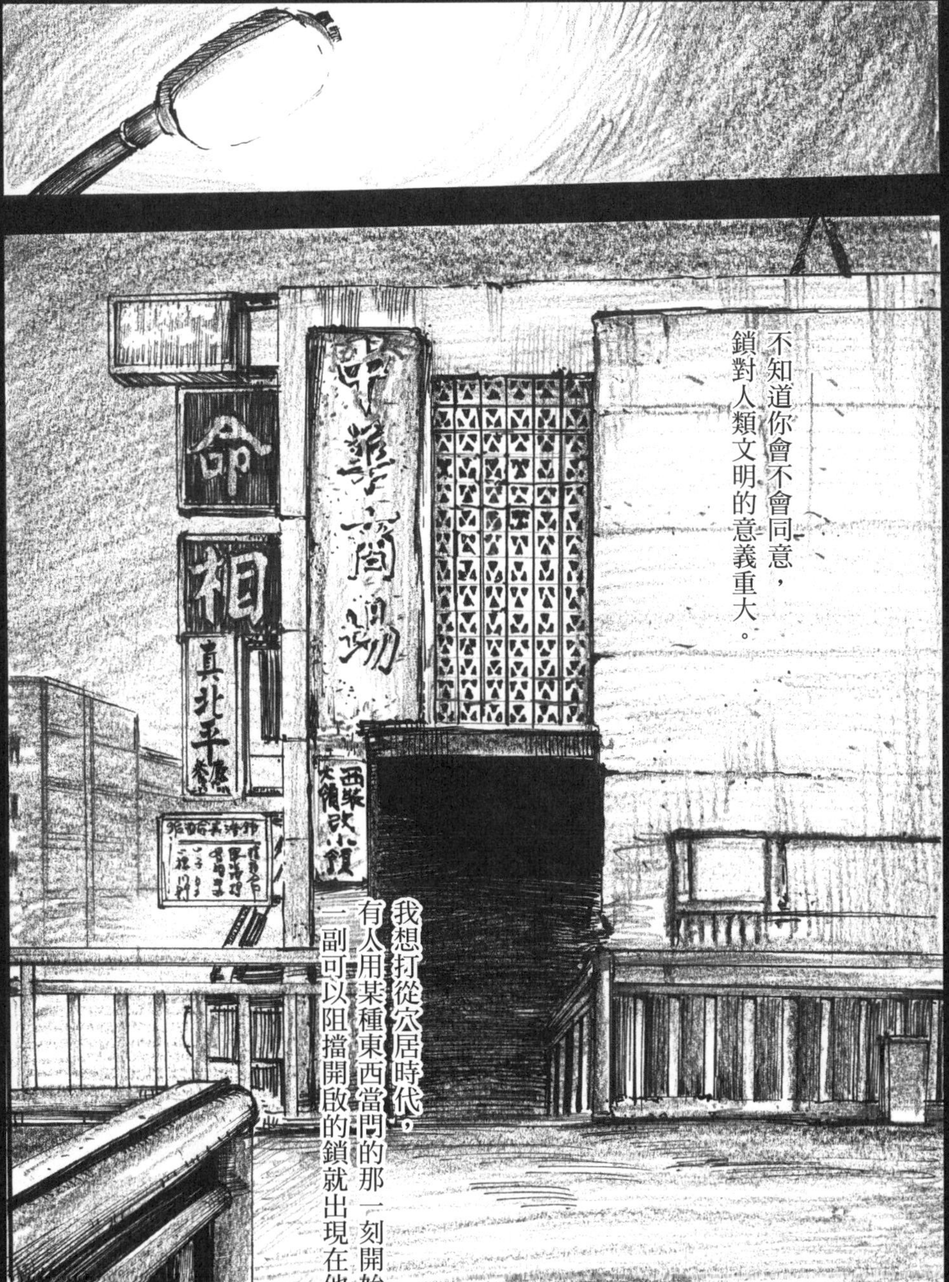
不知道你會不會同意，
鎖對人類文明的意義重大。
命
相
真北平
我想打從穴居時代，
有人用某種東西當門的那一刻開始，
一副可以阻擋開啟的鎖就出現在他腦中吧。

做為鎖匠之子，
我從小就知道，鎖匠必得是
城市居民信任的人，
因為他藏有像謎語的萬能鑰匙，
能力獨特，像個穿牆人。
我沉迷於打造鑰匙，
已經二十幾年了。

國際牌
National
我曾經打過一把鑰匙，上頭總共有六十一種
不同角度的傾斜。
這是一把能在那個像心一樣，充滿障礙、暗碼的
旋轉通道穿梭，精心削製獨特刻痕的鑰匙。
當我們告別的時候總要把鑰匙收回，
或者換一把鎖。
偶爾我會想起，
自己也許有一把鑰匙還留哪裡似的。

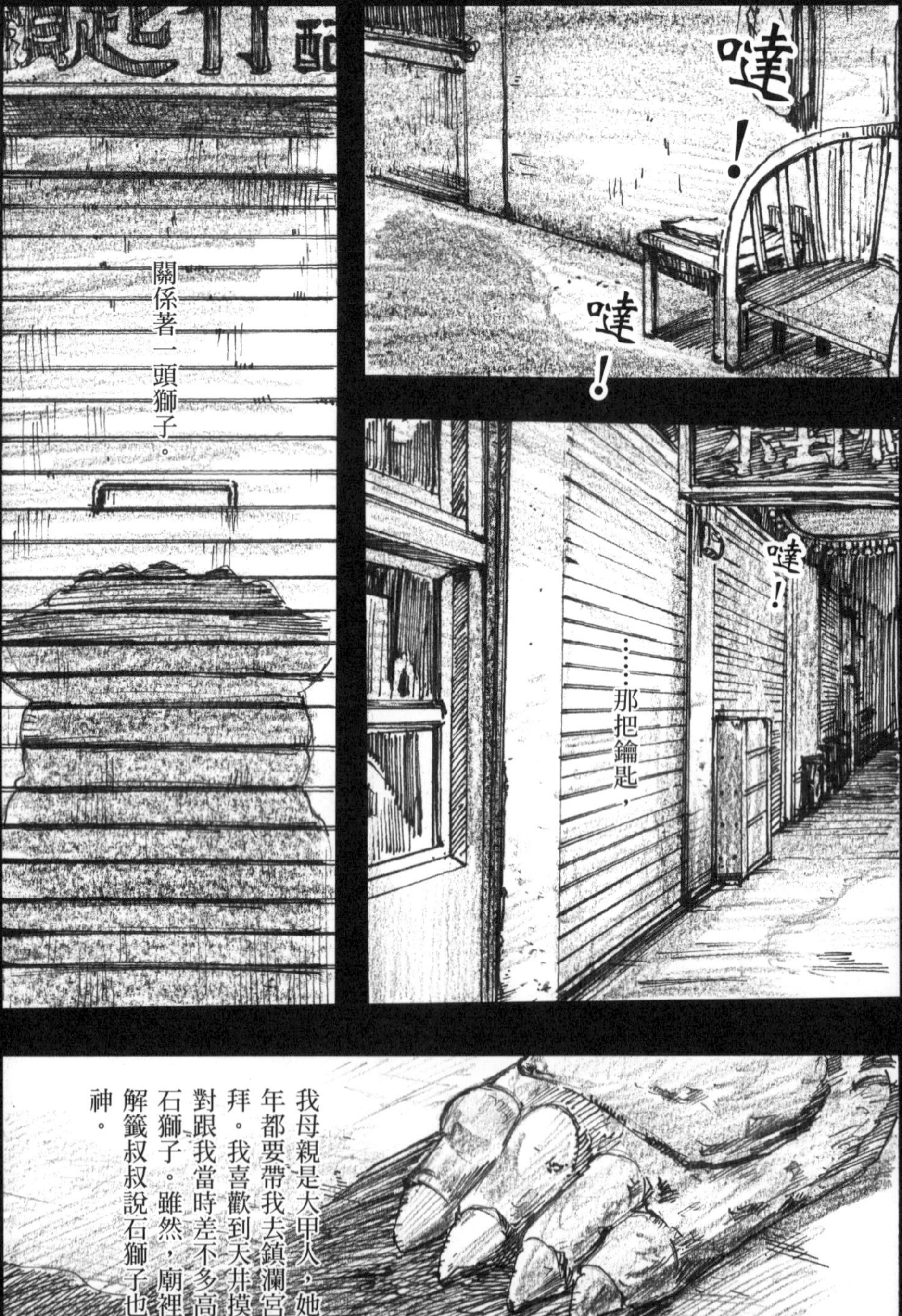
噠！
噠！
噠！
……那把鑰匙，
關係著一頭獅子。
我母親是大甲人，她每年都要帶我去鎮瀾宮拜拜。我喜歡到天井摸那對跟我當時差不多高的石獅子。雖然，廟裡的解籤叔叔說石獅子也是神。

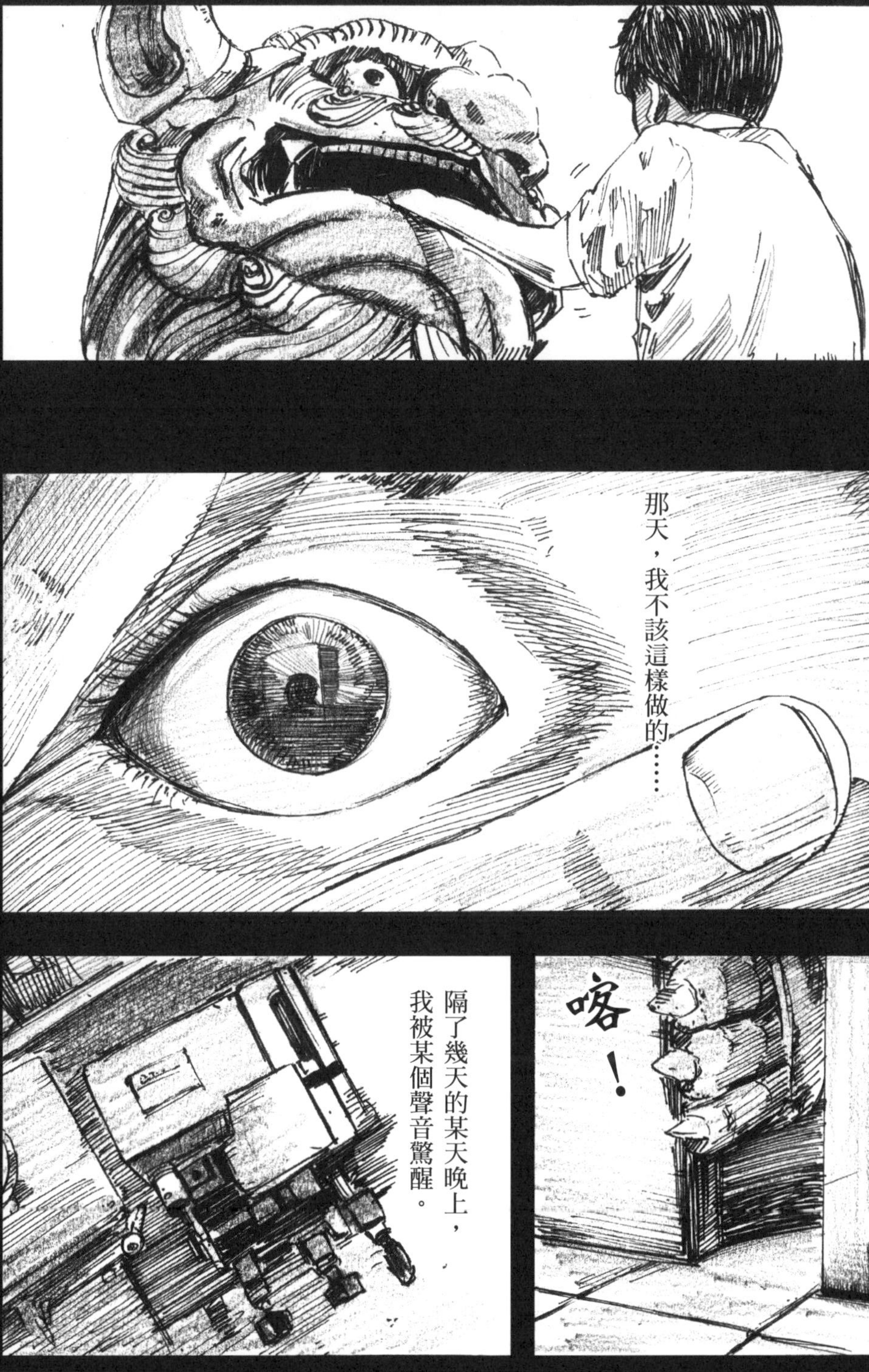
那天，我不該這樣做的……
隔了幾天的某天晚上，
我被某個聲音驚醒。
喀！

那捲曲的鬃毛，
那粗壯的腳掌，
那像打了繩結的眉毛，和神祕的笑容。
就是我在大甲戲弄過的那隻石獅子！

……
咕嚕……
醒來的時候我正作完一個夢，
一時之間
搞不清楚自己是否在另一個夢裡。

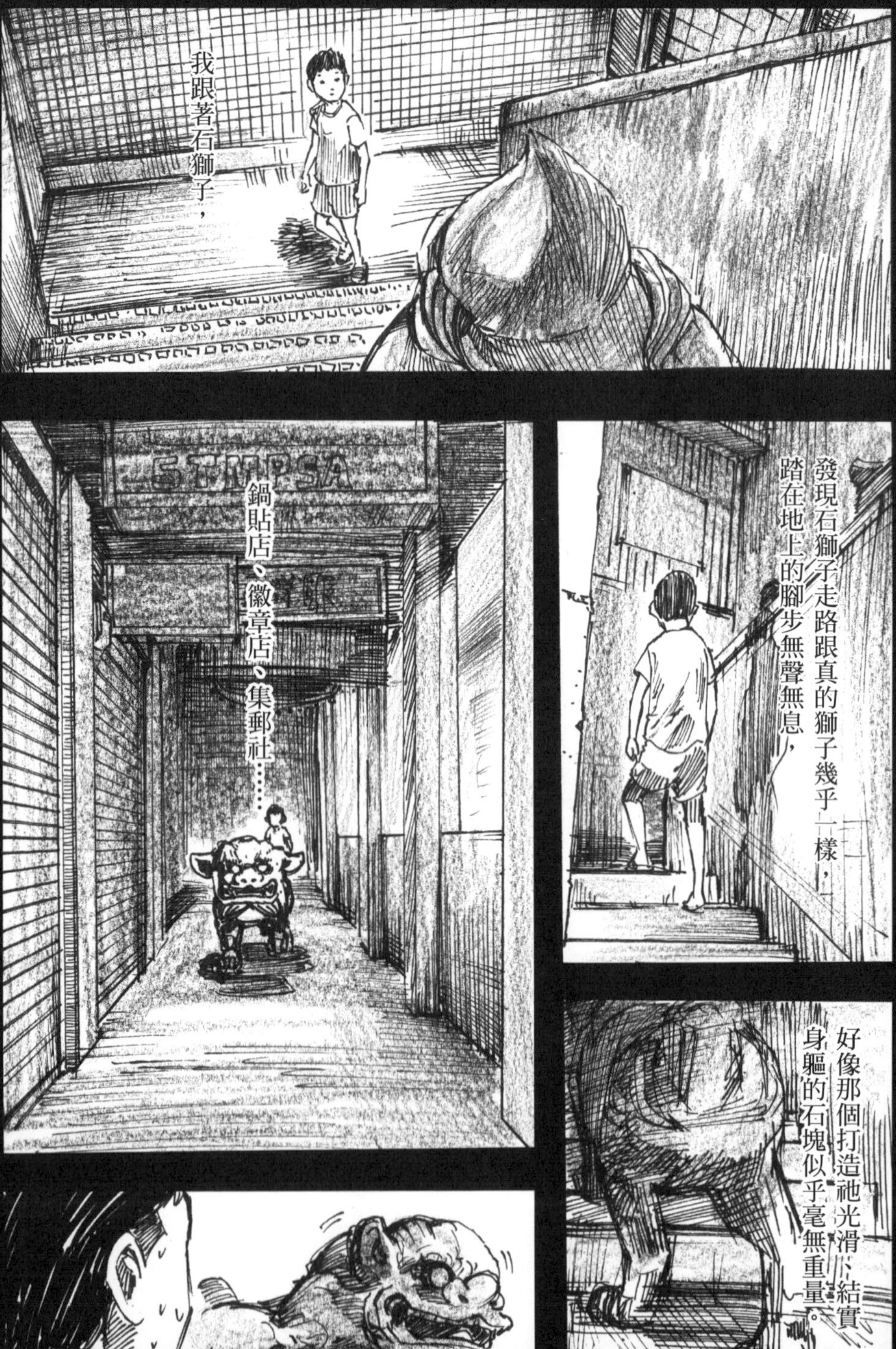
我跟著石獅子，
發現石獅子走路跟真的獅子幾乎一樣，
踏在地上的腳步無聲無息，
鍋貼店、徽章店、集郵社……
好像那個打造祂光滑、結實
身軀的石塊似乎毫無重量。

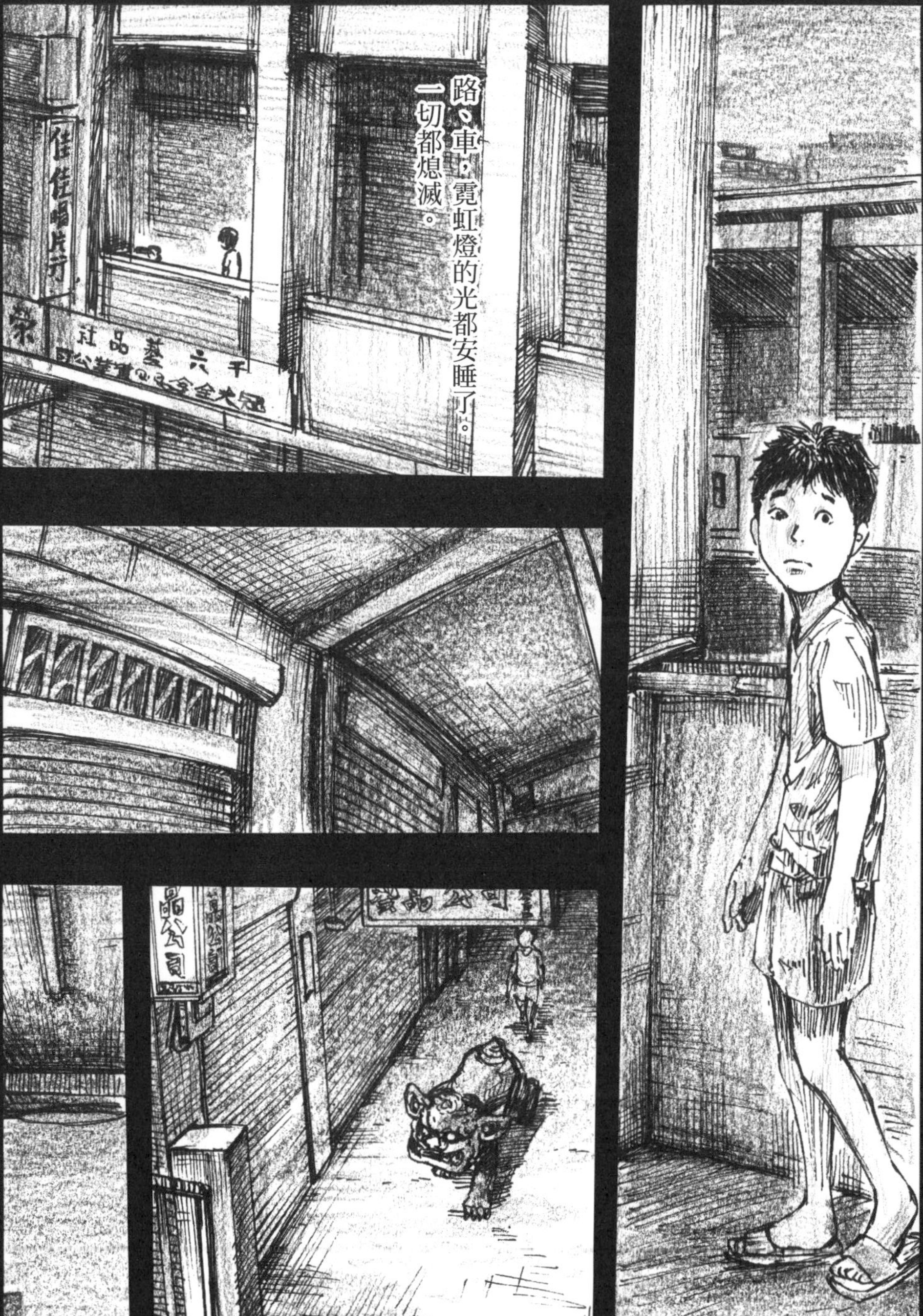
路、車，霓虹燈的光都安睡了。
一切都熄滅。
佳佳唱片行

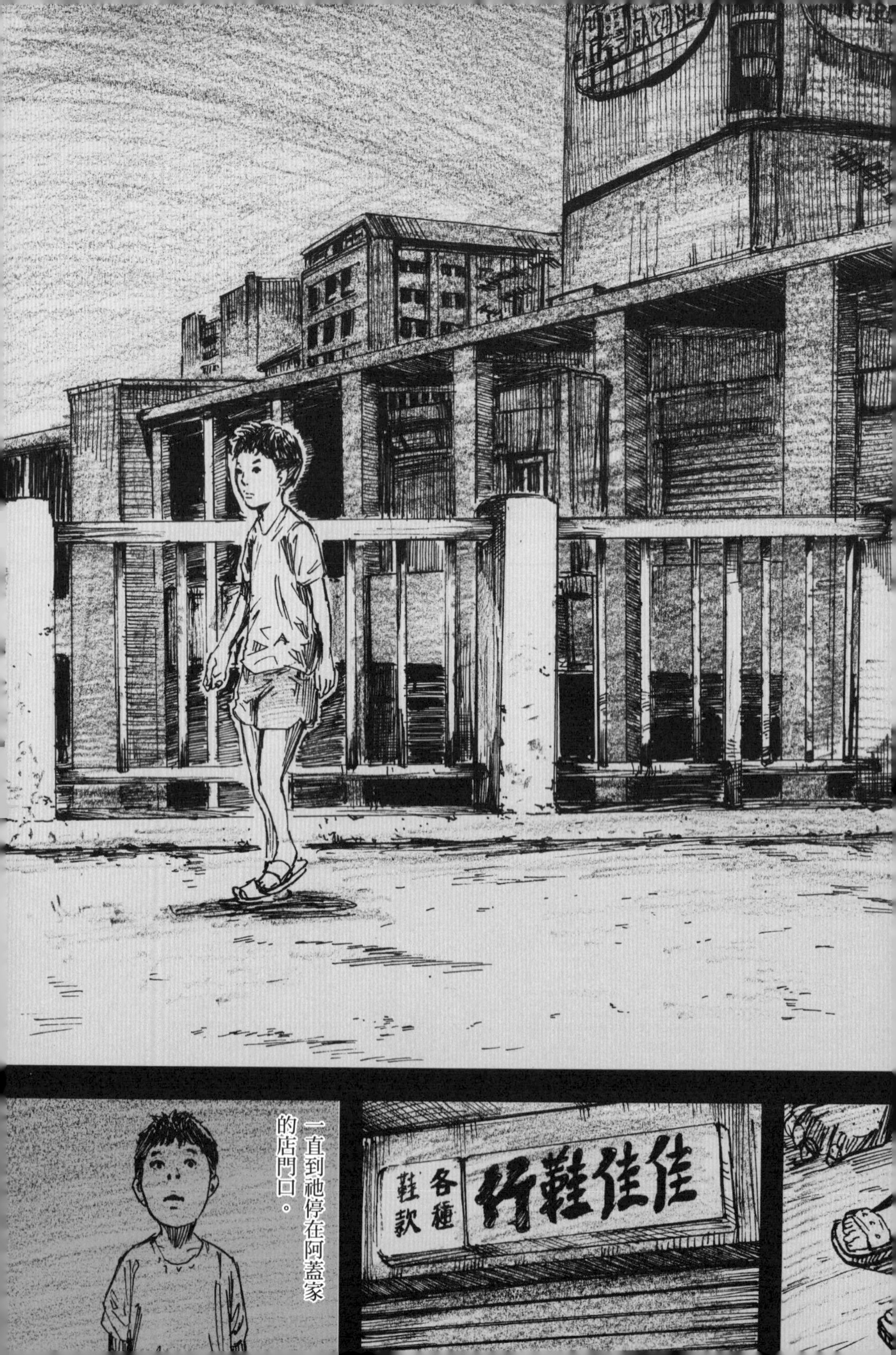
一直到祂停在阿蓋家的店門口。
佳佳鞋行
各種鞋款

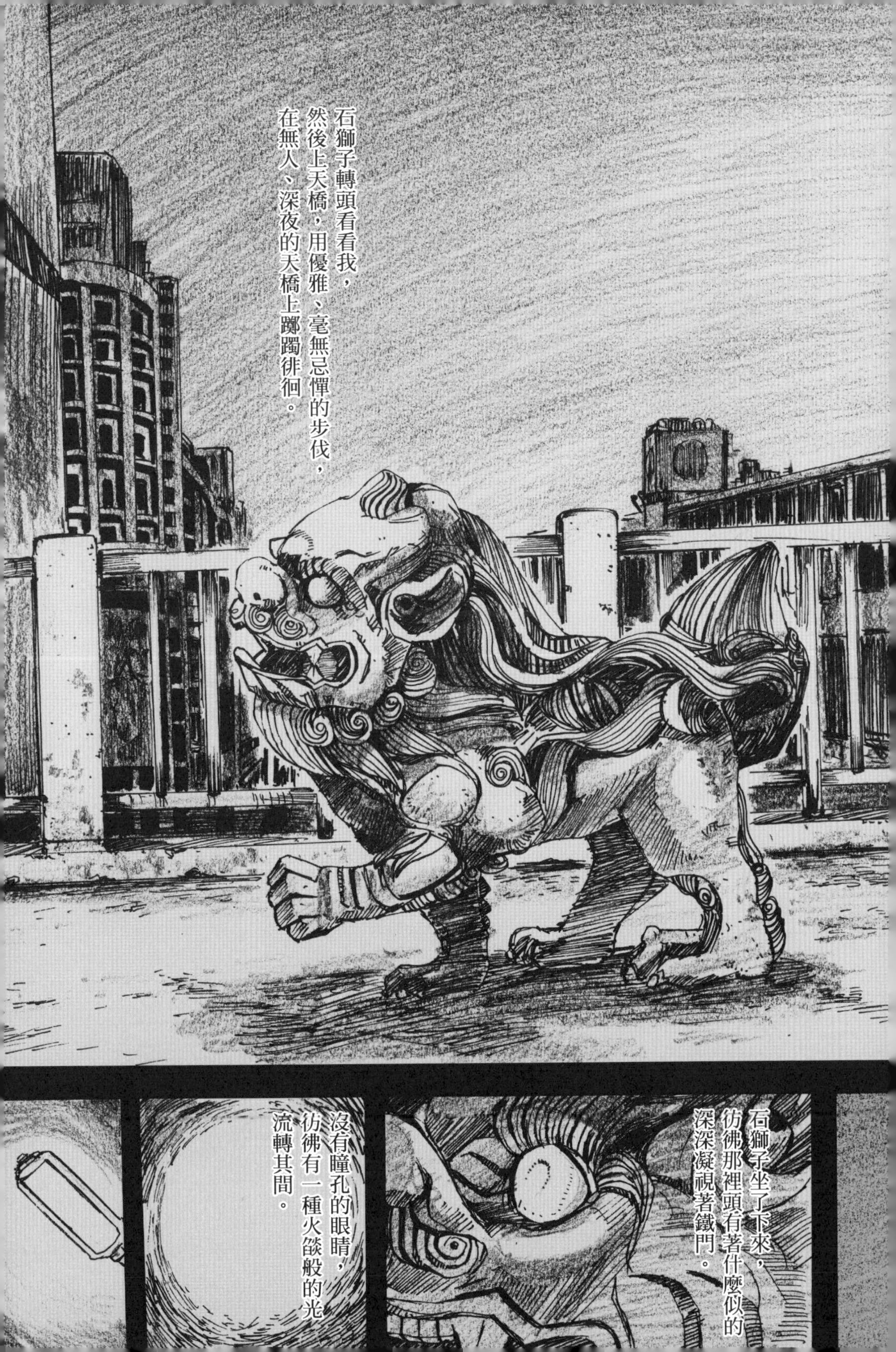
石獅子轉頭看看我，
然後上天橋，用優雅、毫無忌憚的步伐，
在無人、深夜的天橋上躑躅徘徊。
石獅子坐了下來，
彷彿那裡頭有著什麼似的
深深凝視著鐵門。
沒有瞳孔的眼睛，
彷彿有一種火燄般的光
流轉其間。

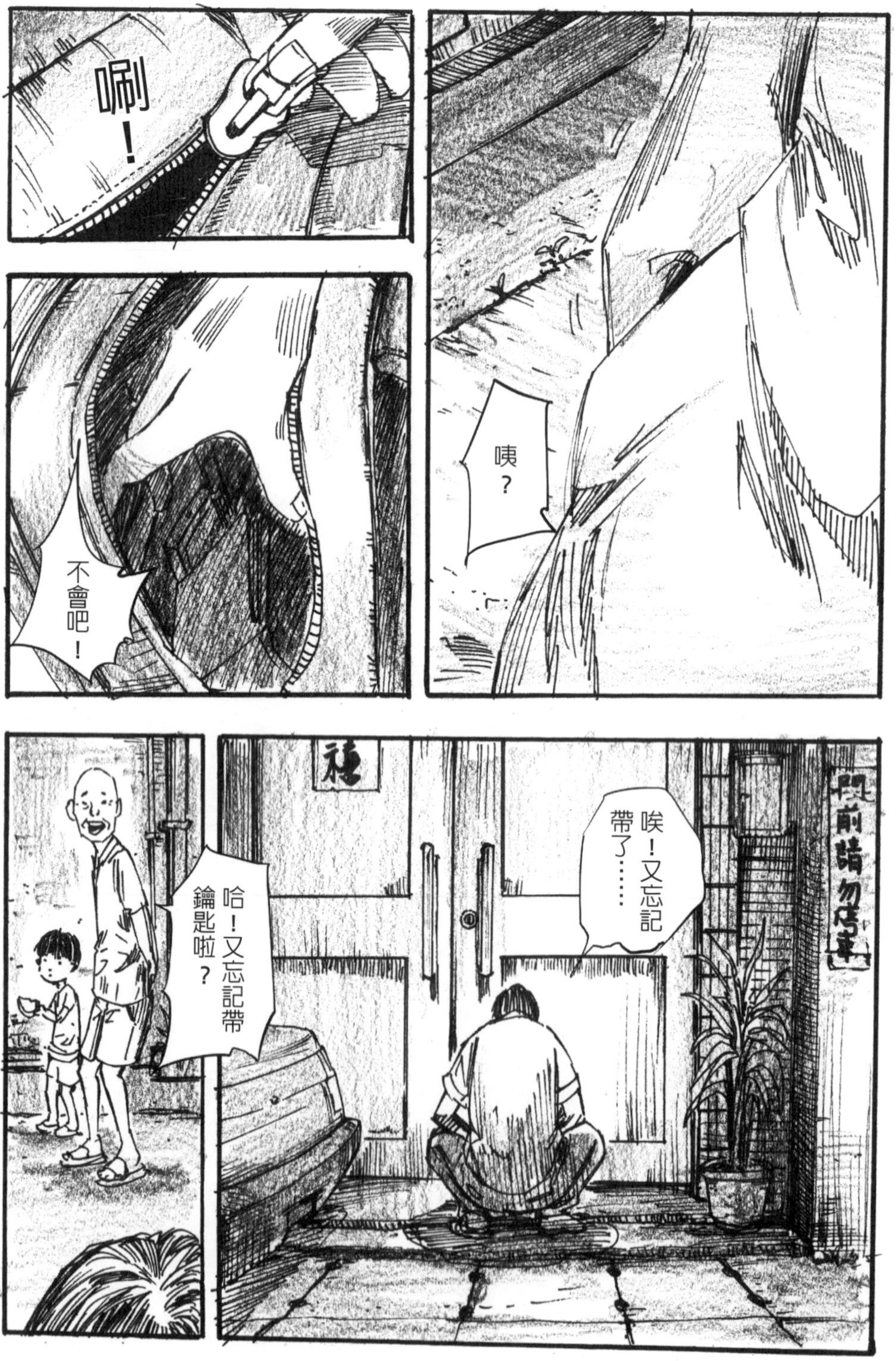
咦?
唰!
不會吧!
福
唉!又忘記帶了……
門前請勿停車
哈!又忘記帶鑰匙啦?

哈！是啊，
老是忘記。
我聽說，鎖一開始是從「裡面」的防禦，後來才成為從「外面」關閉與開啟。
在上古時期，人們離開自己的屋子，或者想守護某個東西時，他們用的是打繩結的方式來上鎖。
繩結本身就意味著一種技藝，因為繩結的打法與解法都必然是一個祕密。
據說希臘人會在繩結上下咒，被下了咒的繩結得有兩重解開的方式，
一是繩結本身，另一重則是精神上的。

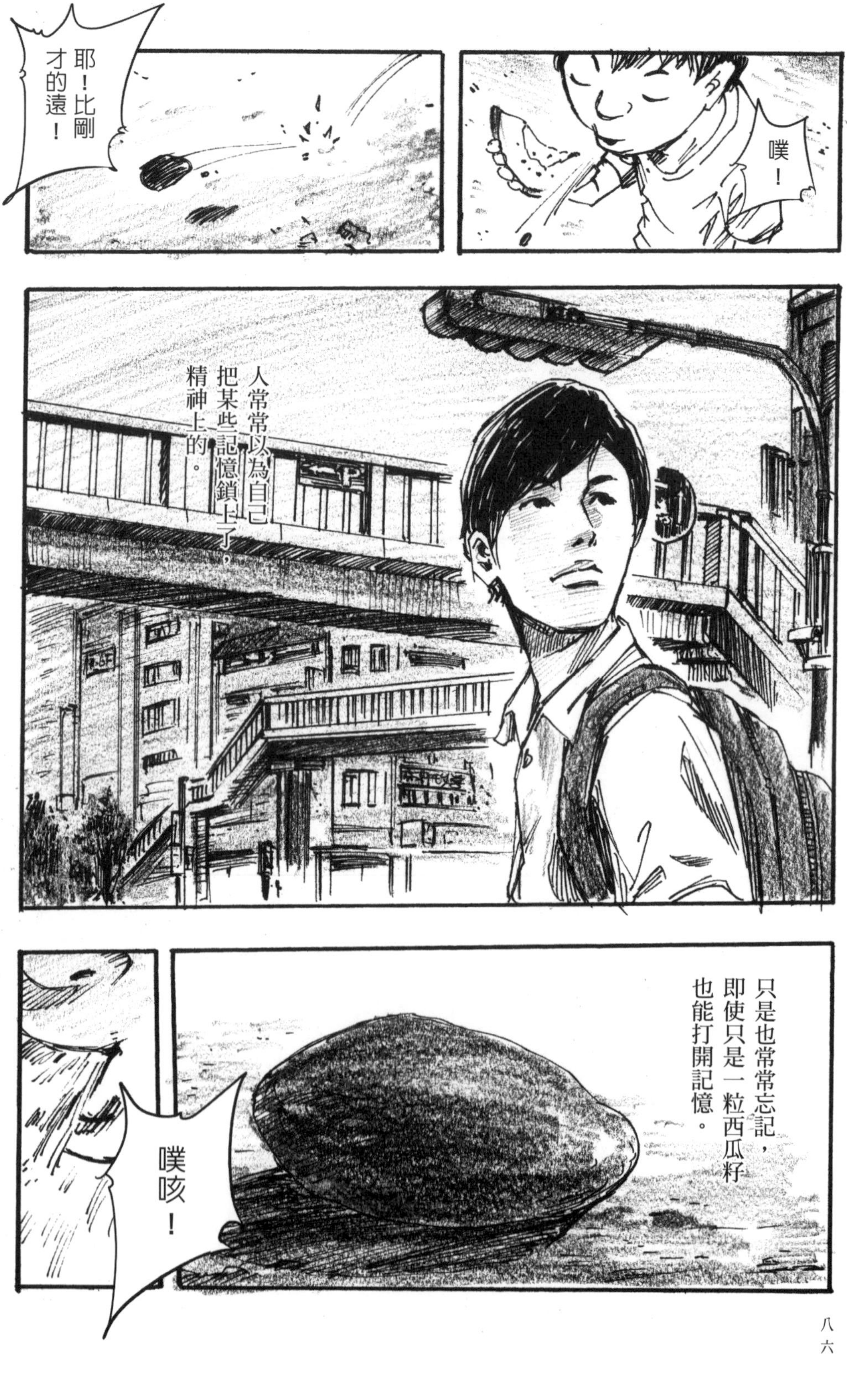
噗！
耶！比剛才的遠！
人常常以為自己把某些記憶鎖上了，精神上的。
只是也常常忘記，即使只是一粒西瓜籽也能打開記憶。
噗咳！

咳咳！咳！
你、你講啥？
那隻石獅又……又來我家！
祂已經弄斷我五顆牙了還想怎樣啊？
一定是不夠誠意……
你拿作戰計畫簿幹嘛？
可能你用拳頭「予汝喫」祂很不爽吧。
可是我用心電感應跟祂道歉好幾遍了捏。
噗！所以祂只是在門口看一下就走了。
作戰計劃
數學作業簿
想寫道歉信燒給祂啊。

你們還要吃西瓜嗎？不吃我拿去冰囉。
不用了，謝謝二姨。
你媽那雙鞋開口笑了，等一下拿一雙回去給她。
喔，好。
媽，我功課寫完了，可以去玩嗎？
阿蓋別想偷跑，帶你妹一起去！
唔！
讓妳跟可以，不過要借我錢喔。
喔。
啊！這兩個小鬼又把店門當西瓜田，
欠揍！

呼~
阿蓋，你媽最近心情是不是不好啊？
對了，姨丈咧？平常不是都他在顧店？
阿知，我媽說小孩有耳無嘴，免問。
哥，換我玩了啦！
超過五分鐘了。
叩！
叩！
啊！被那個兩光魔術師撿去了！
喂，還給我！

魔術
新奇魔術道具
屋頂抓漏
過來拿啊！
魔法小黑人
魔術三連環
刺不破氣球
魔術師入門馬上學會魔術手法。
現場表演
免費觀看
哼，假鬼假怪！
快還給我啦！
啊——

咕嚕。
嗚嗚，球被吃掉了。
啊啊啊，他把球吞進去了啦！
王八蛋，把球吐出來！
不然就賠一個新的給我！
變到他的口袋了。
呃?!
有嗎？
……

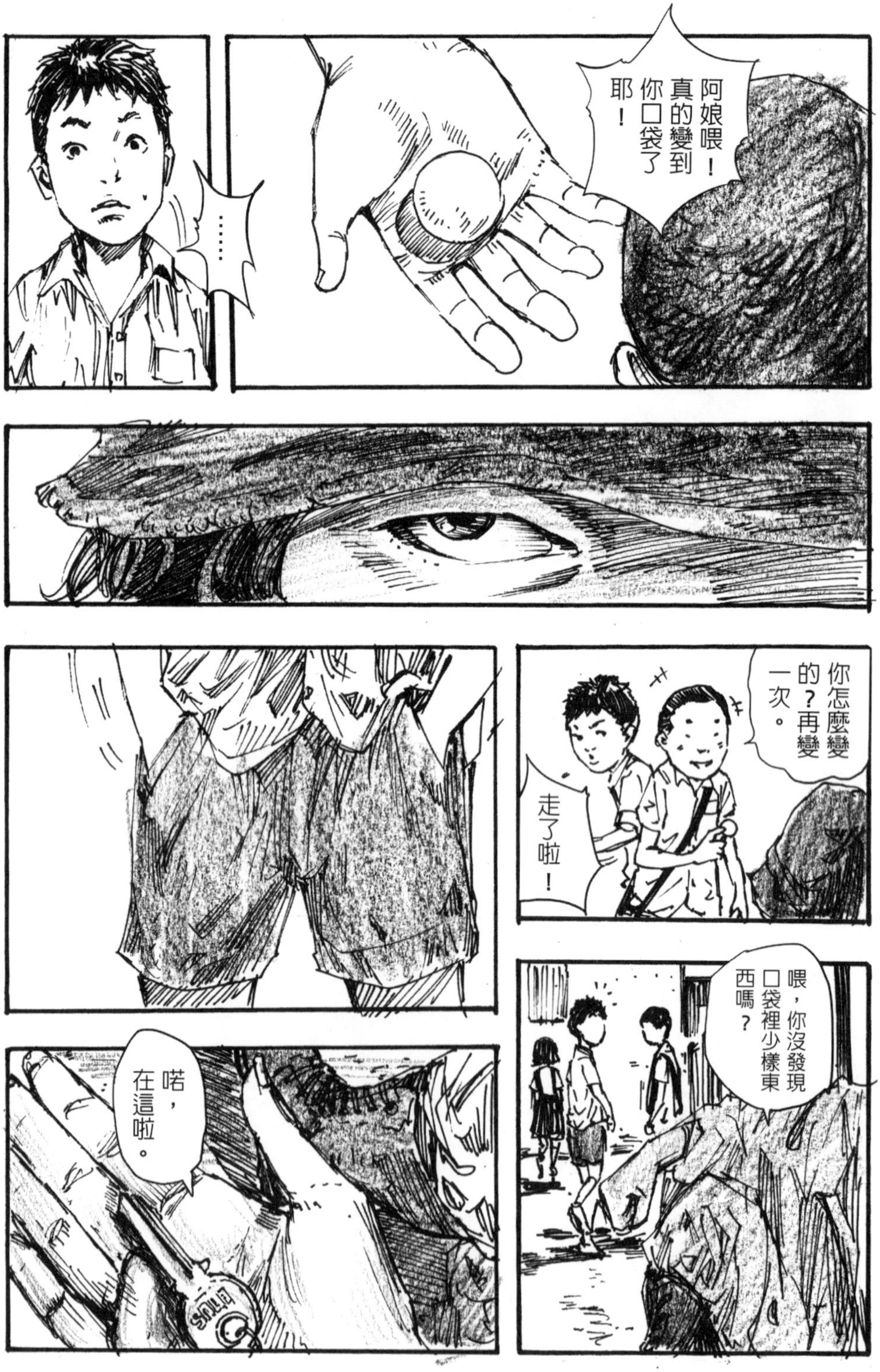
阿娘喂！真的變到你口袋了耶！
……
你怎麼變的？再變一次。
走了啦！
喂，你沒發現口袋裡少樣東西嗎？
喏，在這啦。

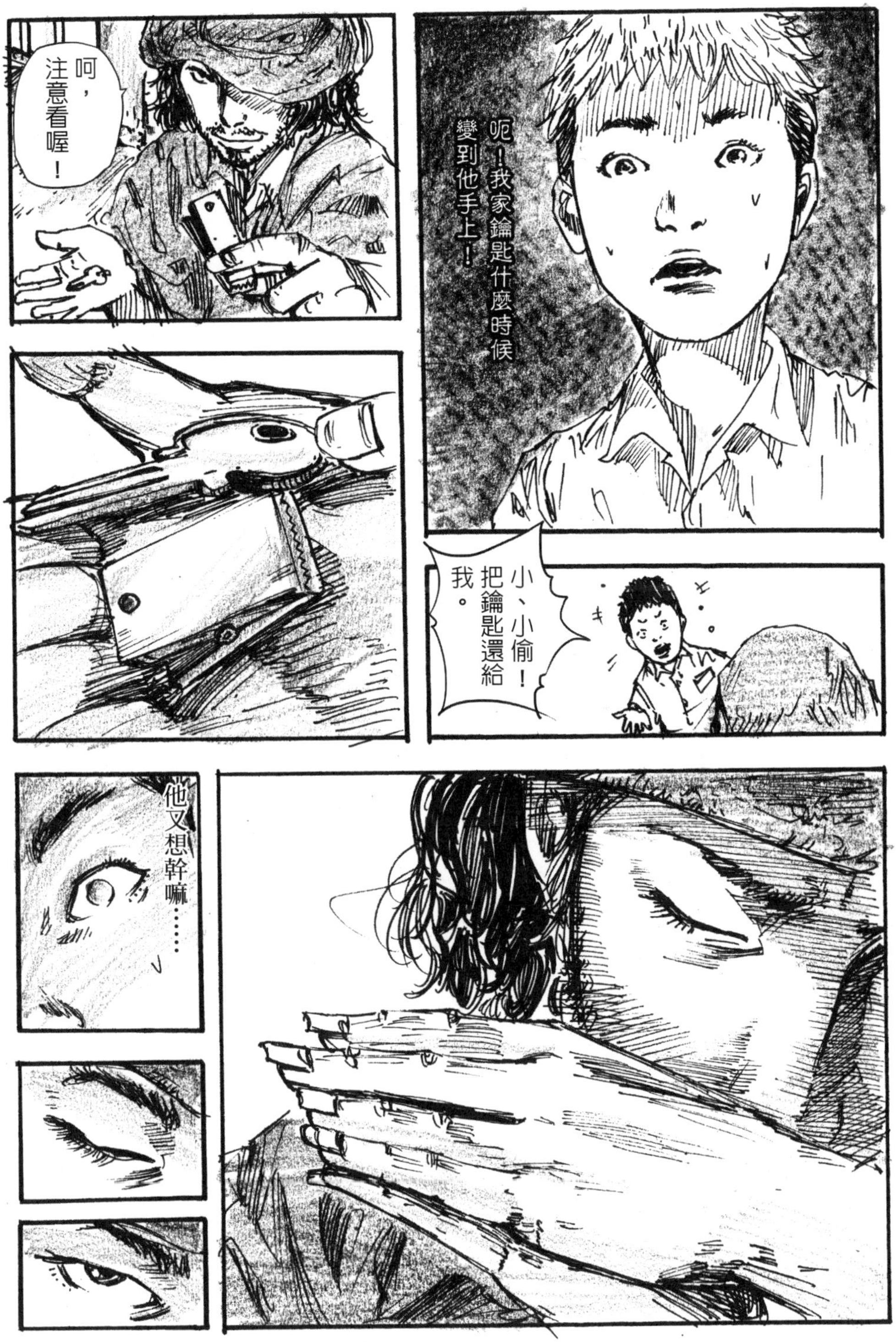

呃！我家鑰匙什麼時候變到他手上！
呵，注意看喔！
小、小偷！把鑰匙還給我。
他又想幹嘛……

猜猜，
哪一把才是你的？
……
喂，你爸不是教過你打鑰匙。
你一定可以認出來。快給他難看。
……
可是我真的分辨不出來……

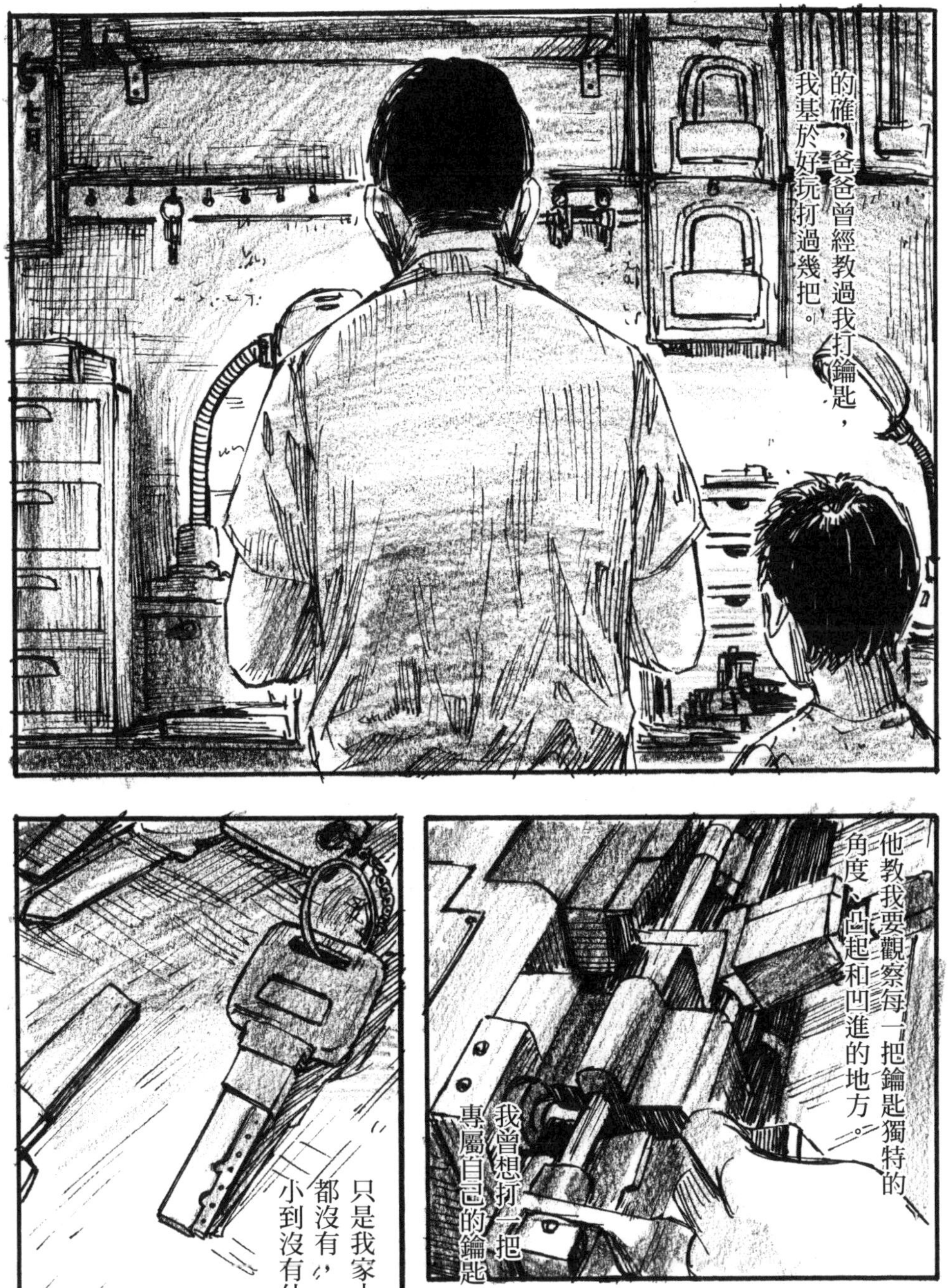
的確，爸爸曾經教過我打鑰匙，
我基於好玩打過幾把。
他教我要觀察每一把鑰匙獨特的角度、凸起和凹進的地方。
我曾想打一把專屬自己的鑰匙。
只是我家小到連房門都沒有，
小到沒有什麼需要上鎖。

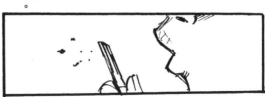

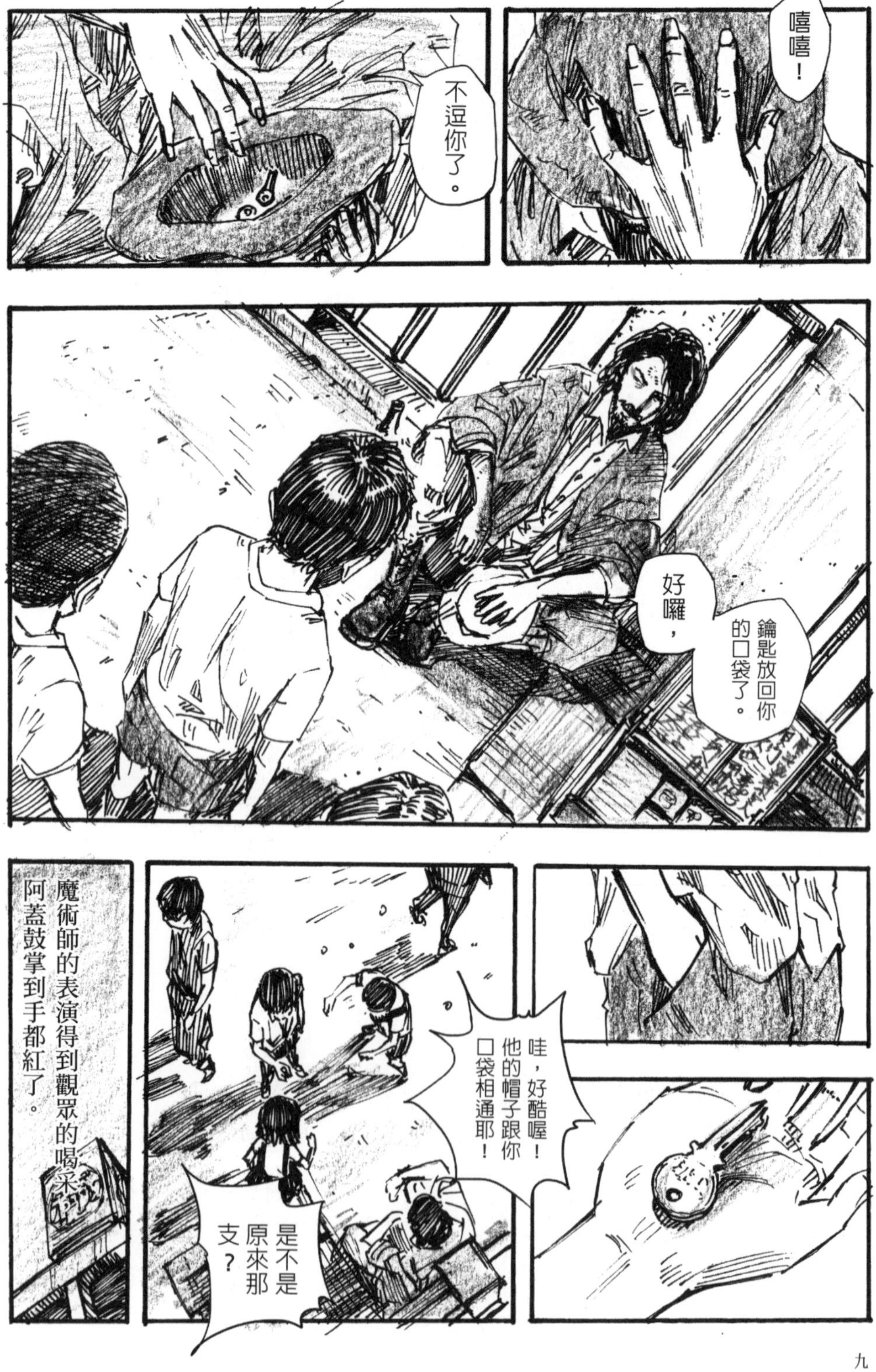
嘻嘻！
不逗你了。
好囉，
鑰匙放回你的口袋了。
哇，好酷喔！他的帽子跟你口袋相通耶！
是不是原來那支？
魔術師的表演得到觀眾的喝采，阿蓋鼓掌到手都紅了。

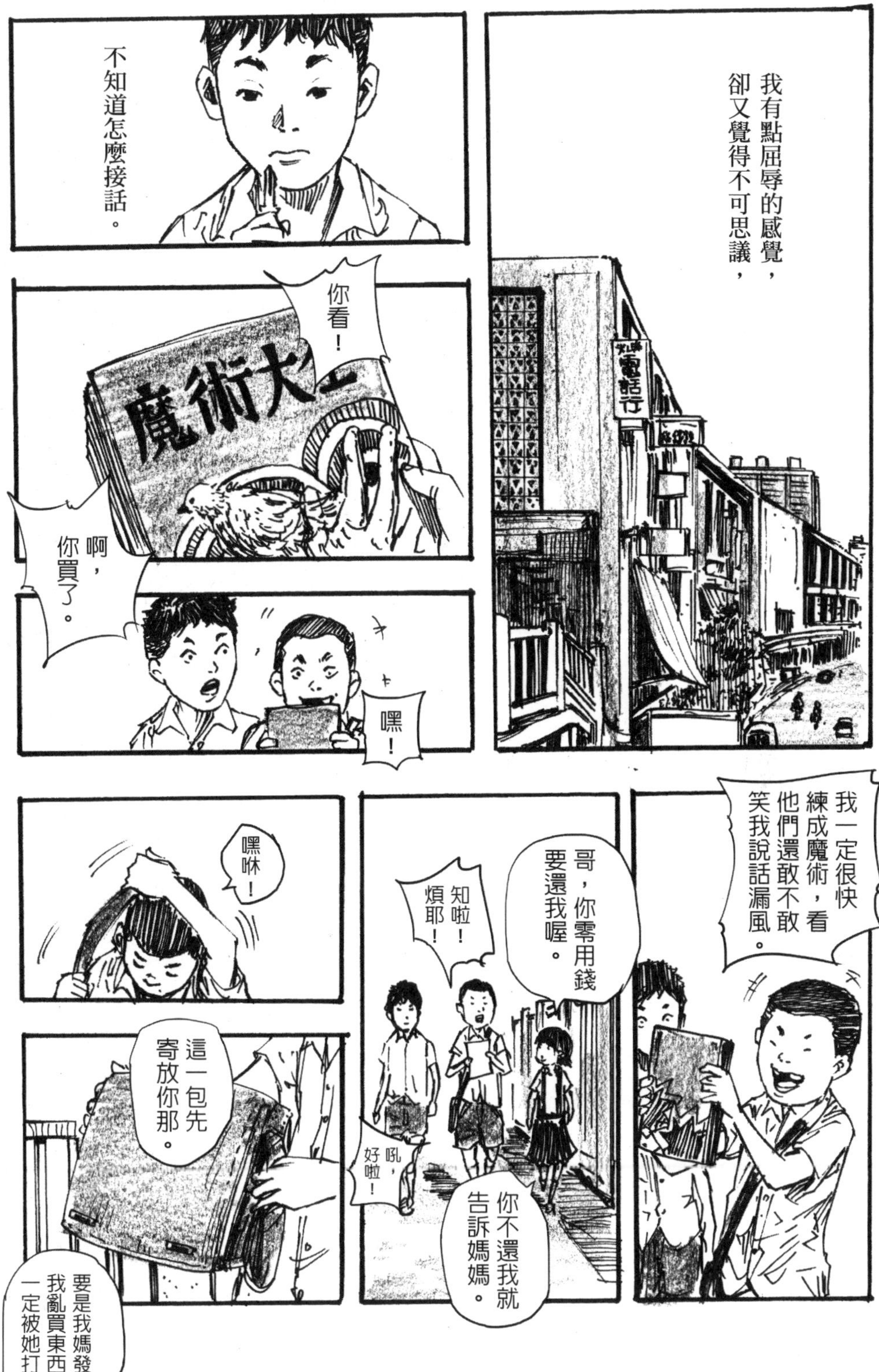
我有點屈辱的感覺，
卻又覺得不可思議，
電話行
不知道怎麼接話。
你看！
魔術大
啊，你買了。
嘿！
我一定很快練成魔術，看他們還敢不敢笑我說話漏風。
哥，你零用錢要還我喔。
知啦！煩耶！
你不還我就告訴媽媽。
吼，好啦！
嘿咻！
這一包先寄放你那。
要是我媽發現我亂買東西，一定被她打。

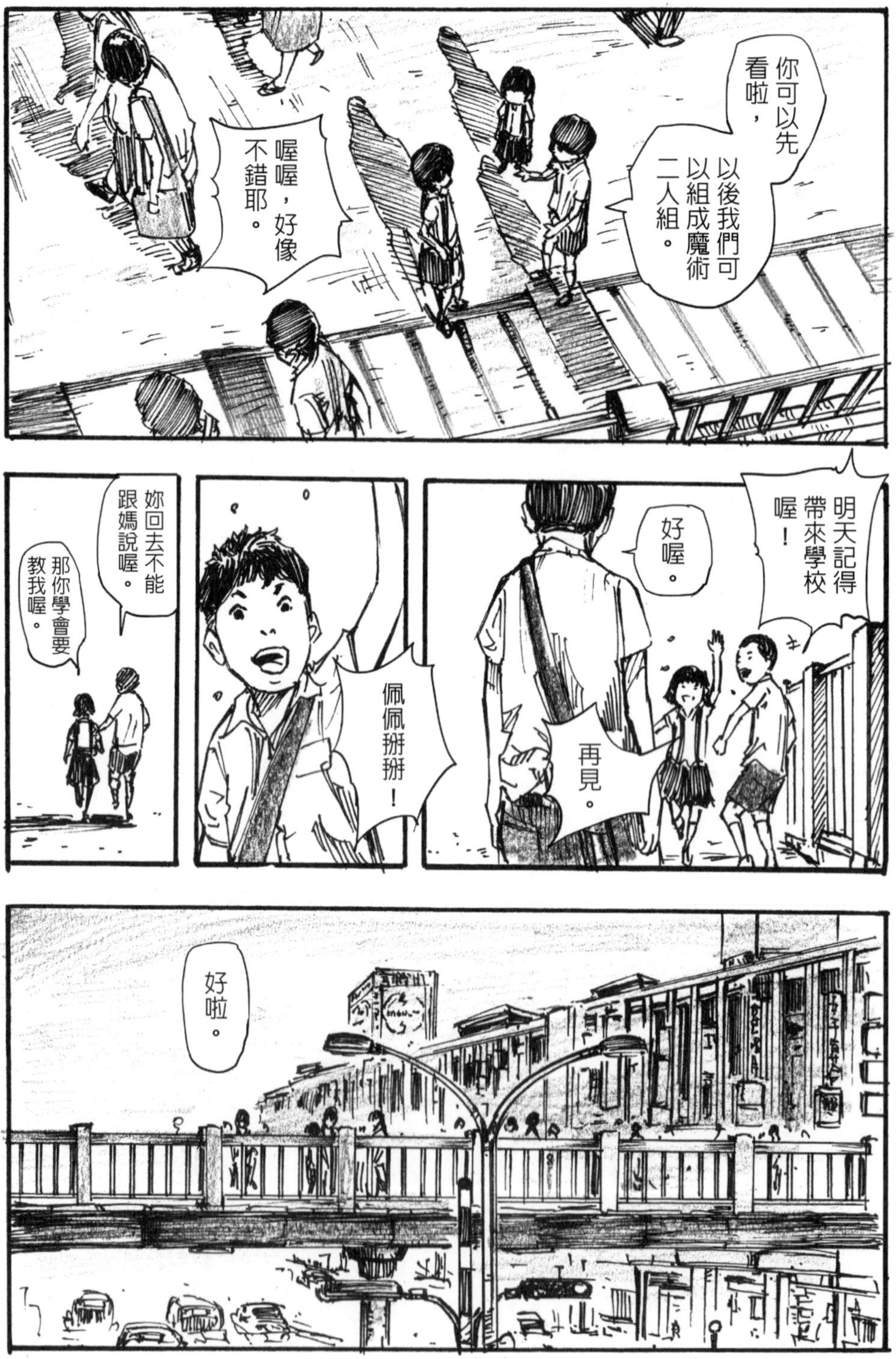
你可以先看啦，以後我們可以組成魔術二人組。
喔喔，好像不錯耶。
明天記得帶來學校喔！
好喔。
再見。
佩佩掰掰！
妳回去不能跟媽說喔。
那你學會要教我喔。
好啦。

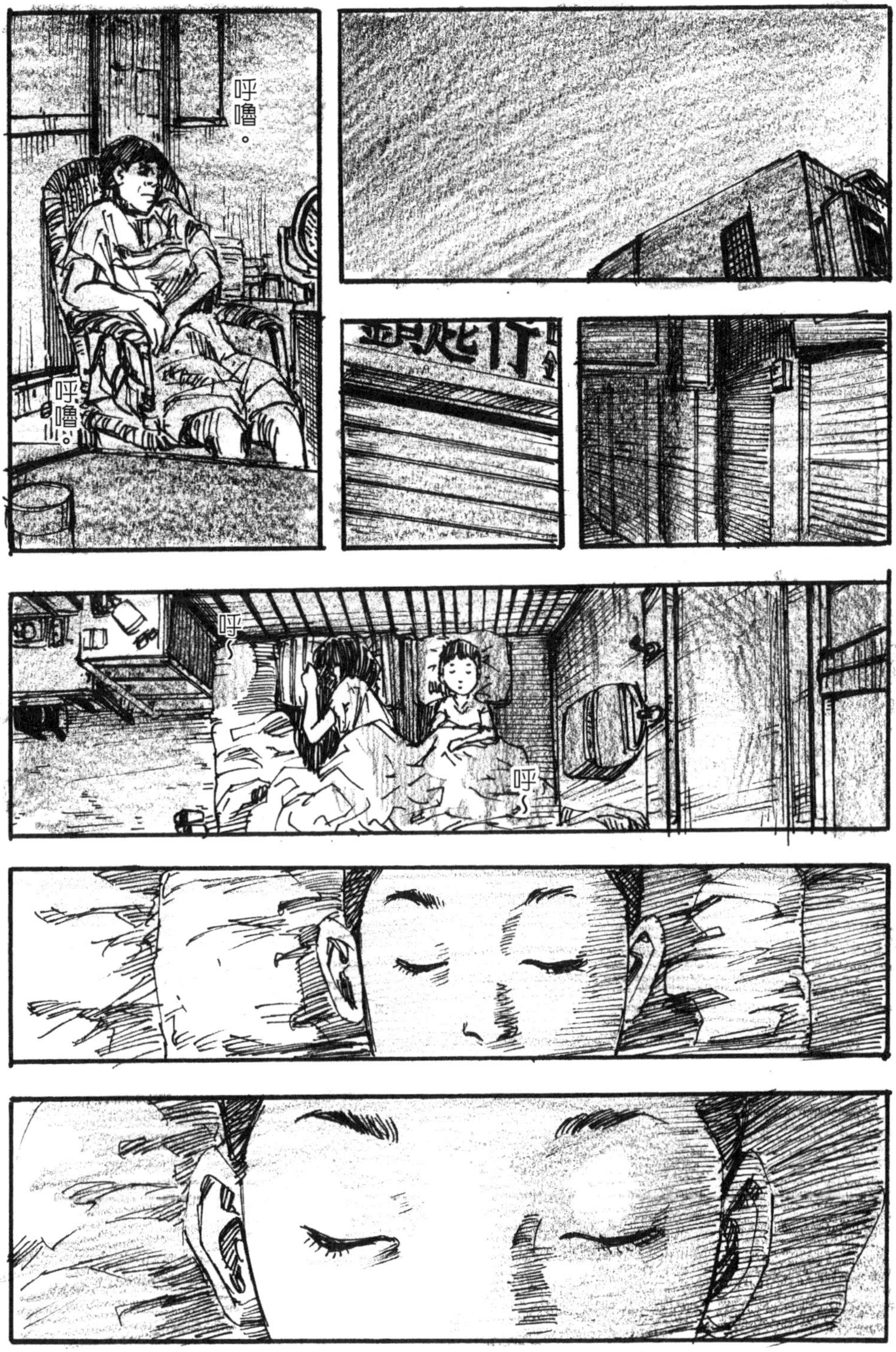
呼嚕。
呼嚕。
呼~
呼~

噠！
噠！
噠！
呼呼！
萬一被魔術師調包了怎麼辦？
我太大意了，兩把鑰匙那麼像……
他會不會趁我們睡著時進來偷東西。

但是，
我怎麼要回那把鑰匙呢？
唔，什麼味道？

唔，
……唔……
……我想起
昨晚的夢！

以及石獅子瞳孔裡流轉的、像火焰的光……

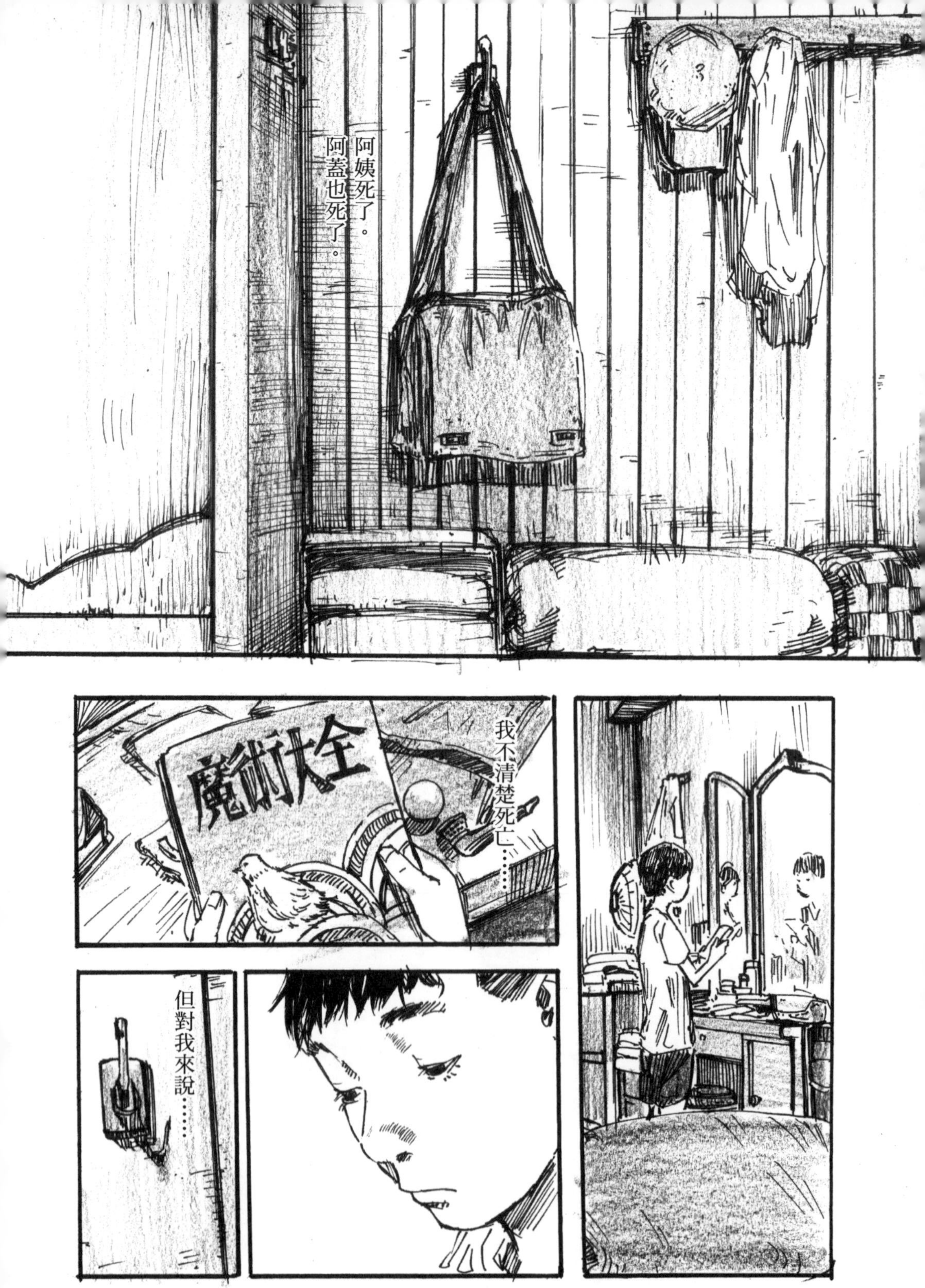
阿姨死了。
阿蓋也死了。
我不清楚死亡……
魔術大全
但對我來說……

那就好像有人從你生命裡
取消了什麼，
有個鎖再也打不開了。
……

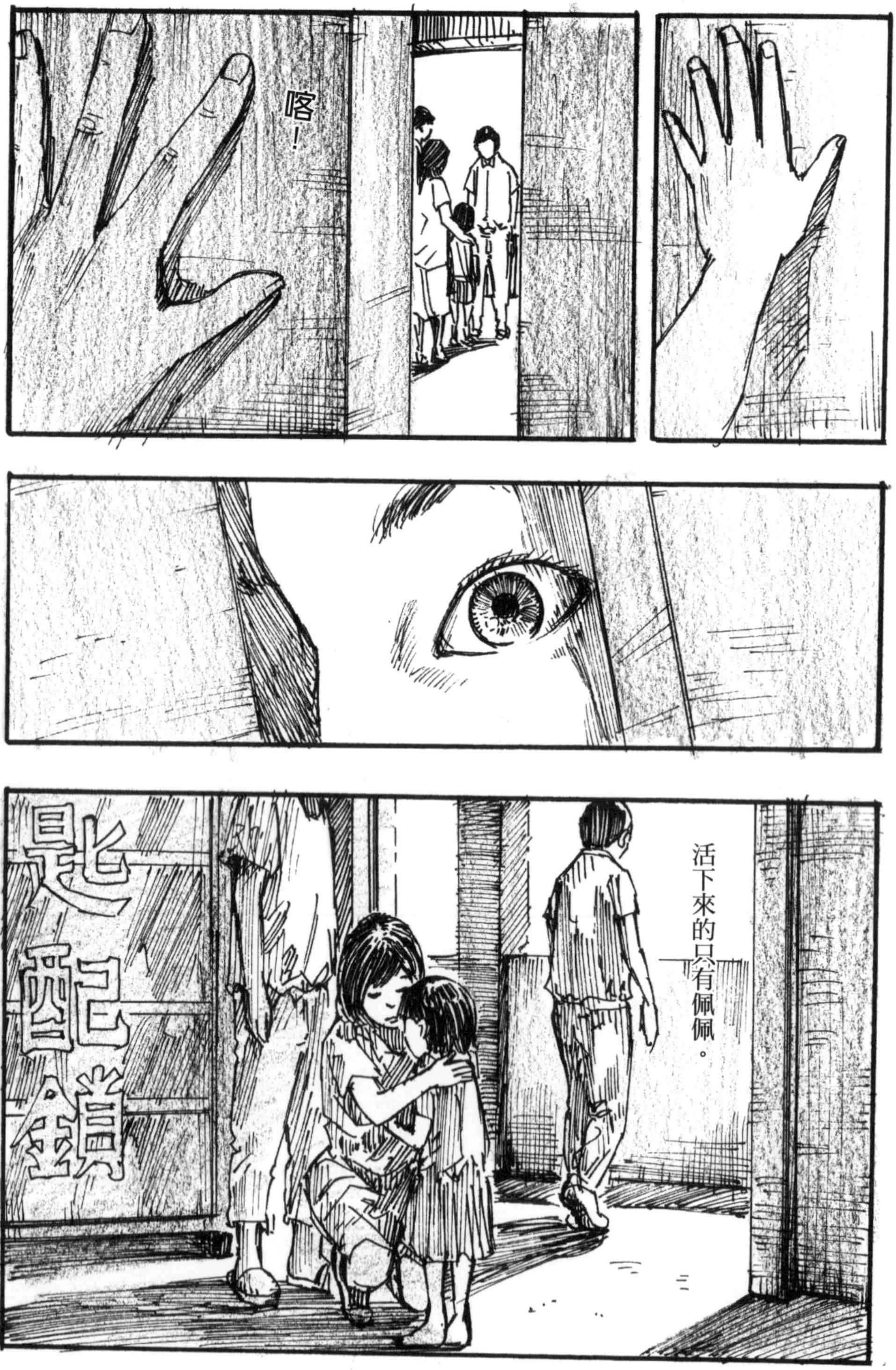
喀！
匙配鎖
活下來的只有佩佩。

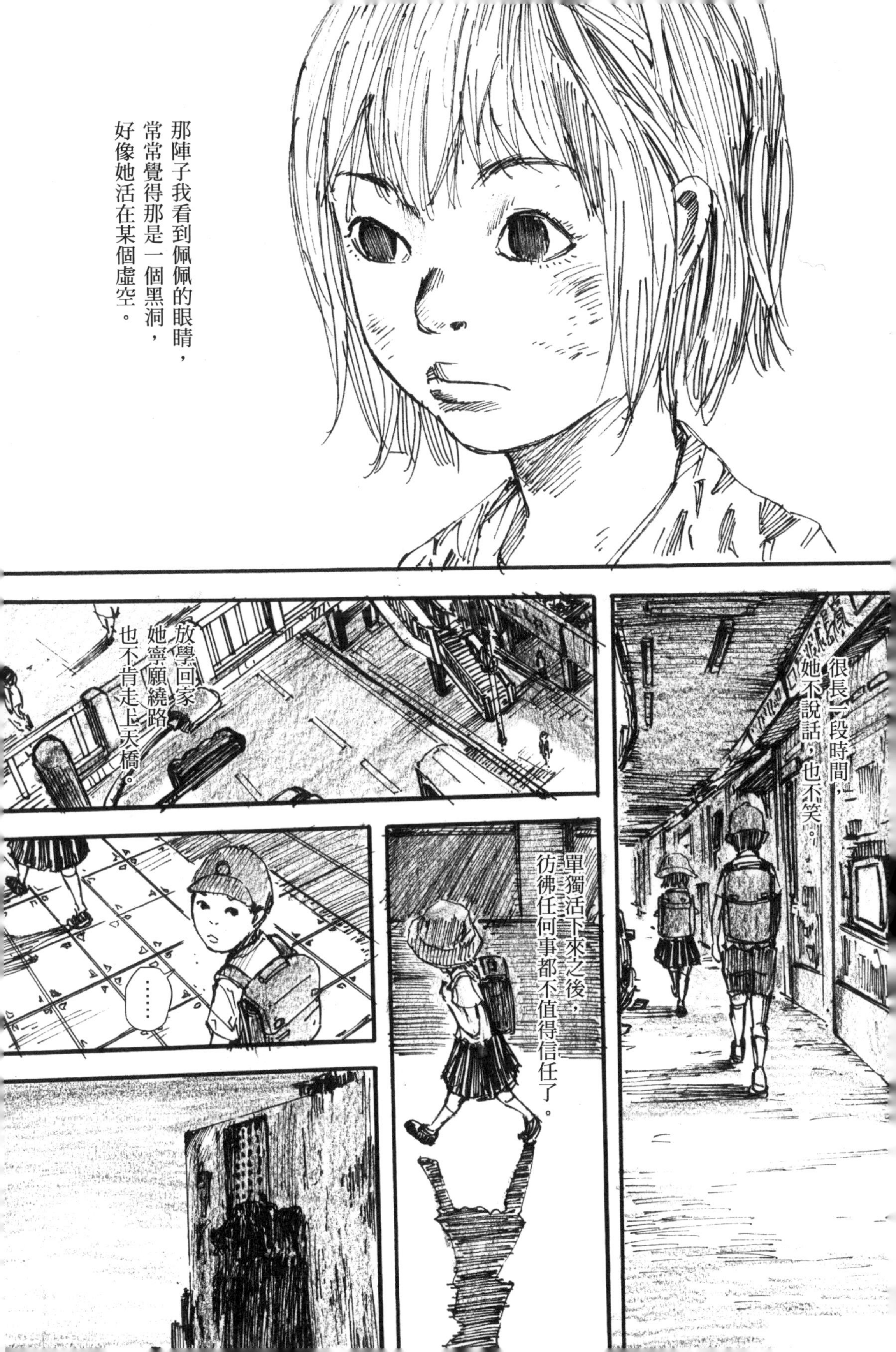
那陣子我看到佩佩的眼睛，常常覺得那是一個黑洞，好像她活在某個虛空。
很長一段時間，她不說話，也不笑。
放學回家她寧願繞路也不肯走上天橋。
單獨活下來之後，彷彿任何事都不值得信任了。
……

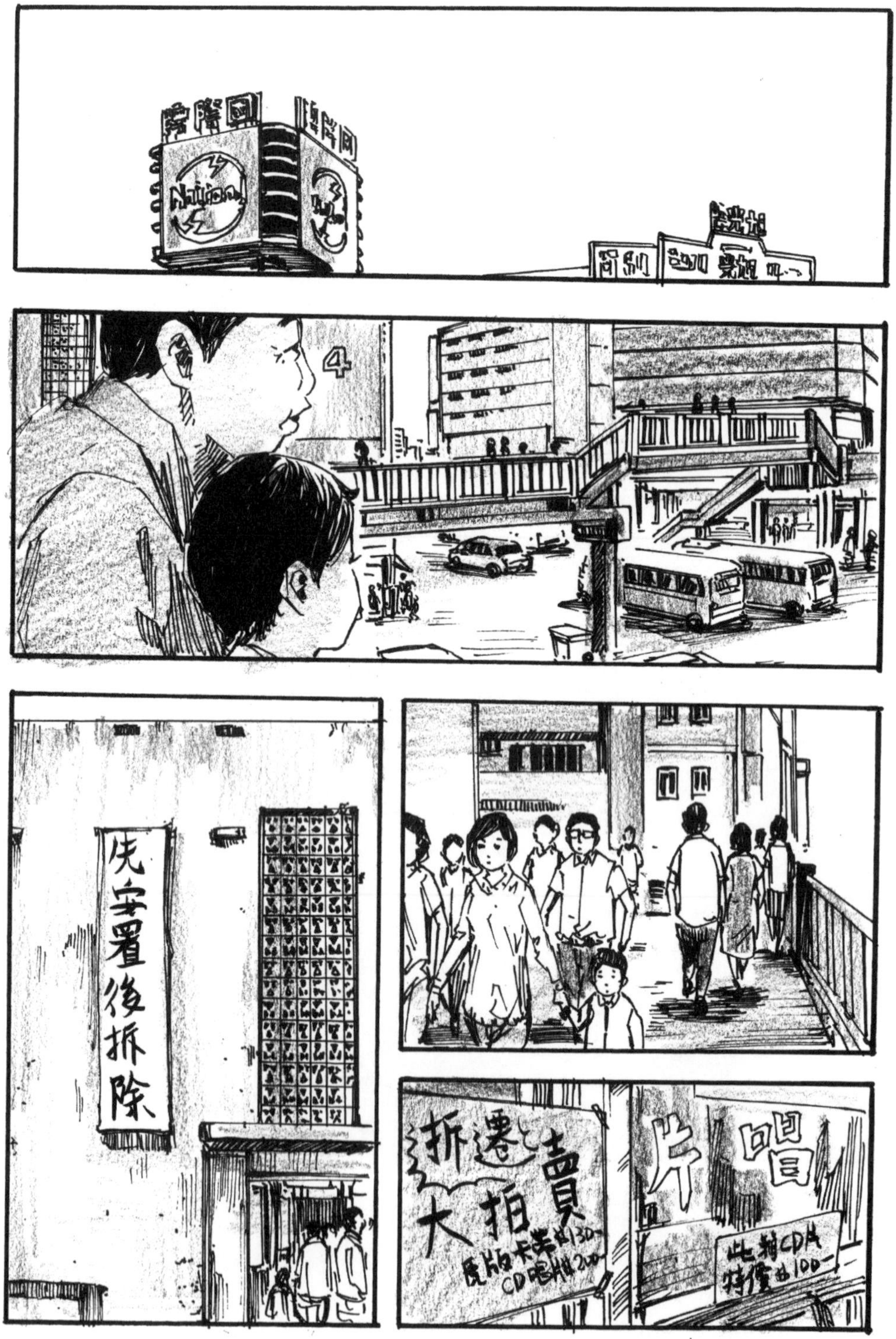
National
先安置後拆除
拆遷大拍賣
盜版卡帶出130-
CD唱片出200-
唱片
此批CD片
特價出100-

配鎖
佩佩看好，
我左手這把是妳房間的鑰匙。
右手分別是新家鐵門和大門的。
要收好喔！
謝謝姨丈。
……
爸，我的呢？
你不是會嗎？自己去打。
喔。
這幾天把自己的東西打包好，準備搬家。
嗯。

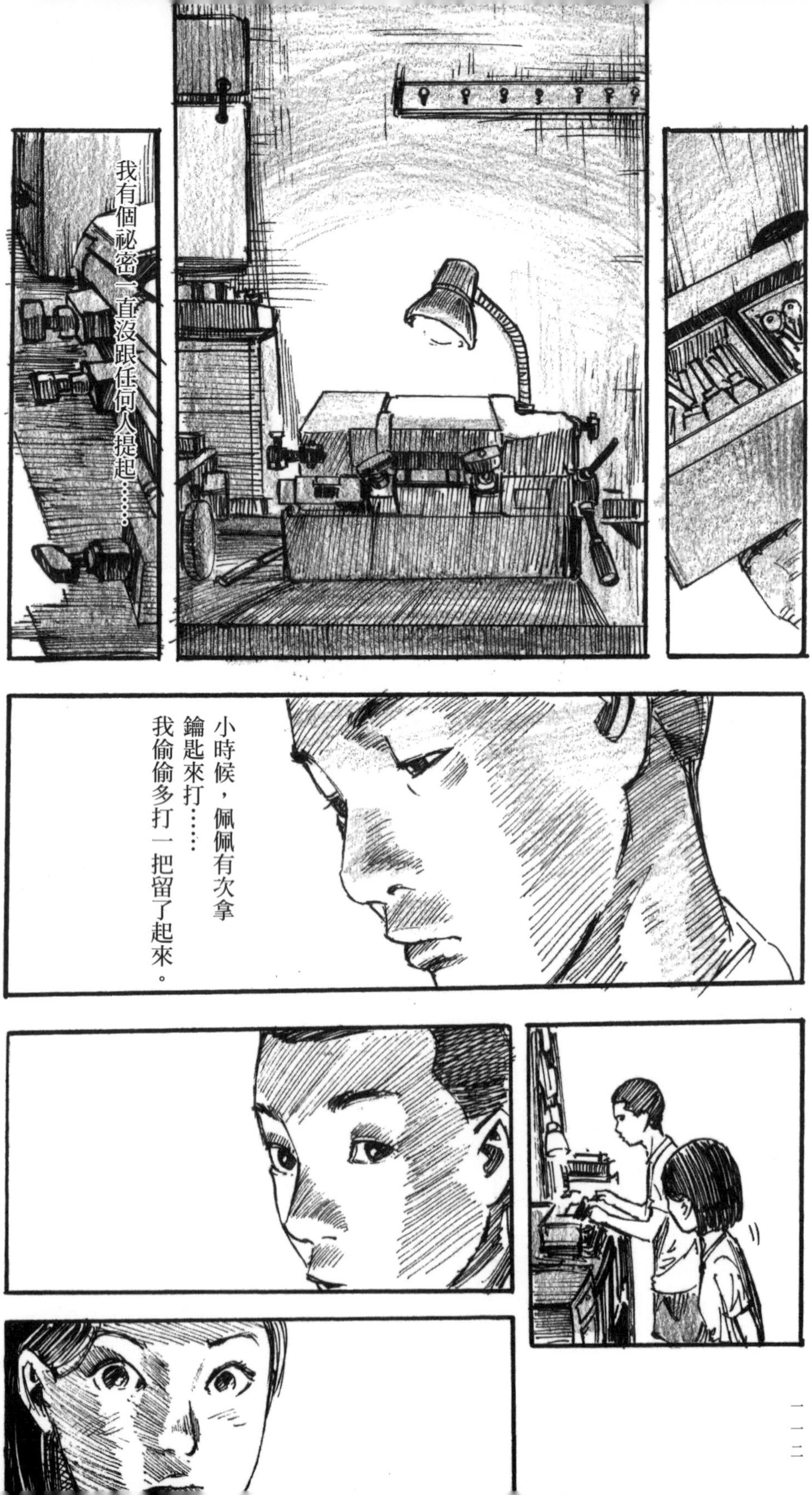
我有個祕密一直沒跟任何人提起……
小時候，佩佩有次拿
鑰匙來打……
我偷偷多打一把留了起來。

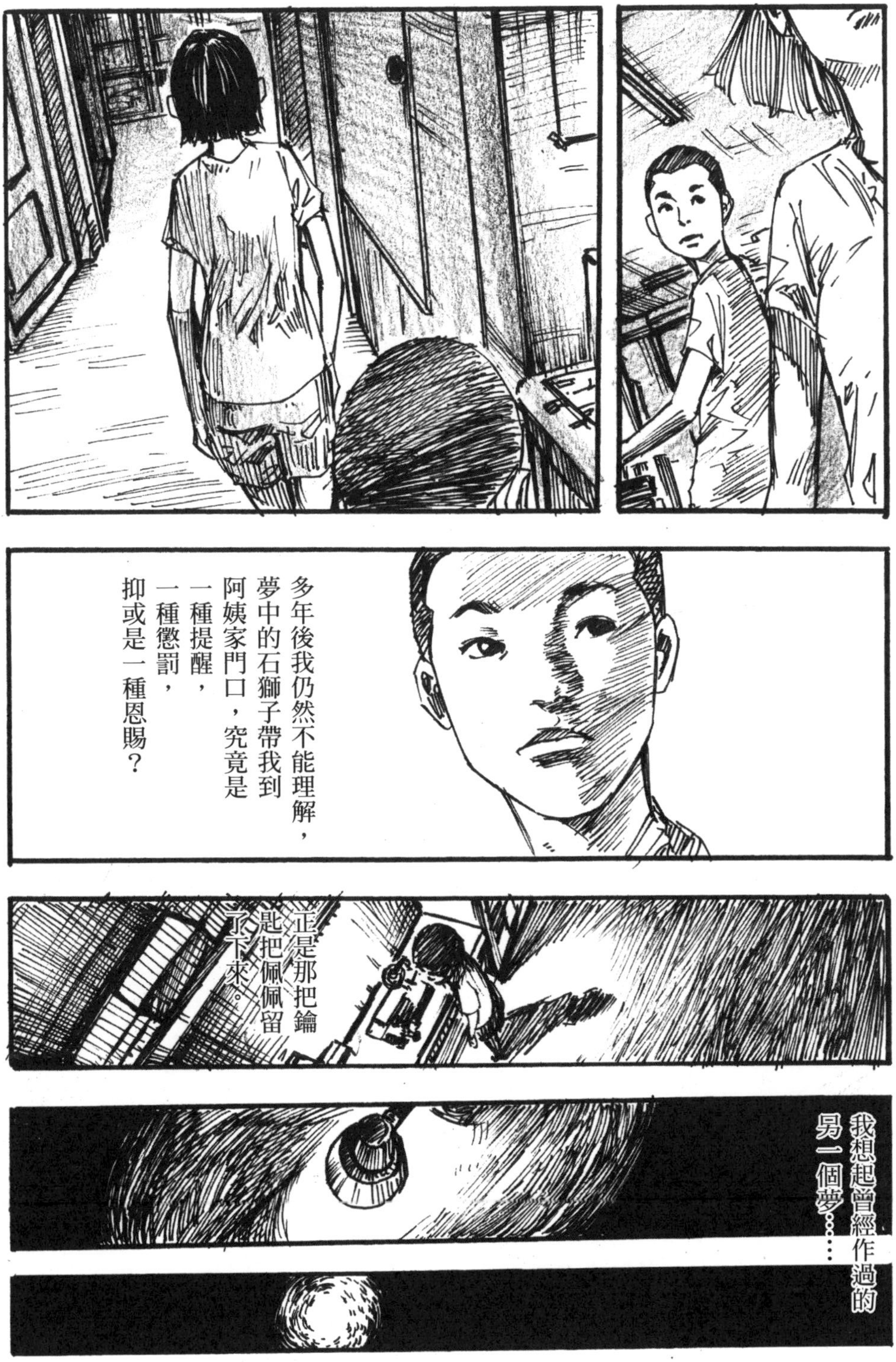
多年後我仍然不能理解，
夢中的石獅子帶我到
阿姨家門口，究竟是
一種提醒，
一種懲罰，
抑或是一種恩賜？
正是那把鑰
匙把佩佩留
了下來。
我想起曾經作過的
另一個夢……

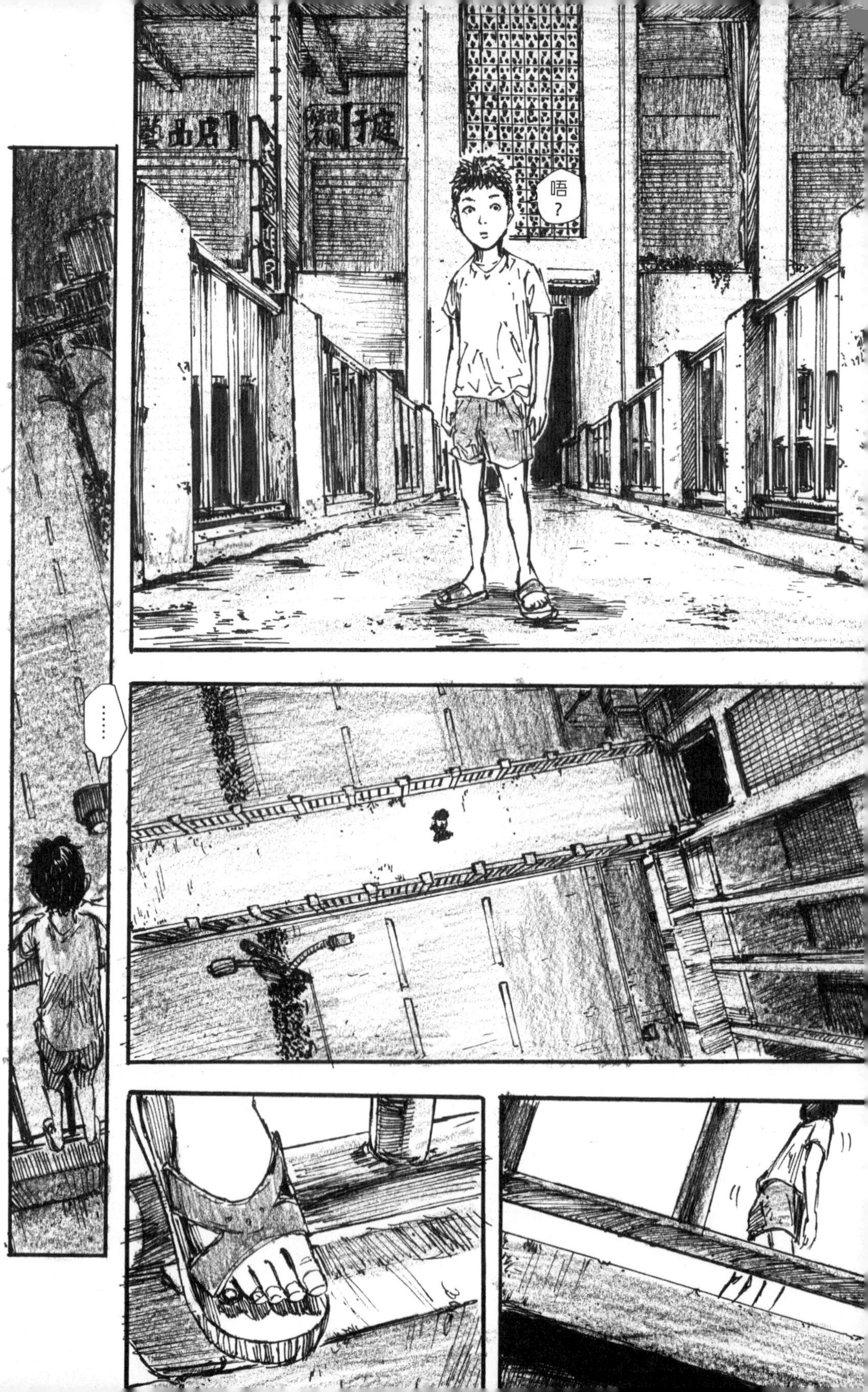
唔？
……

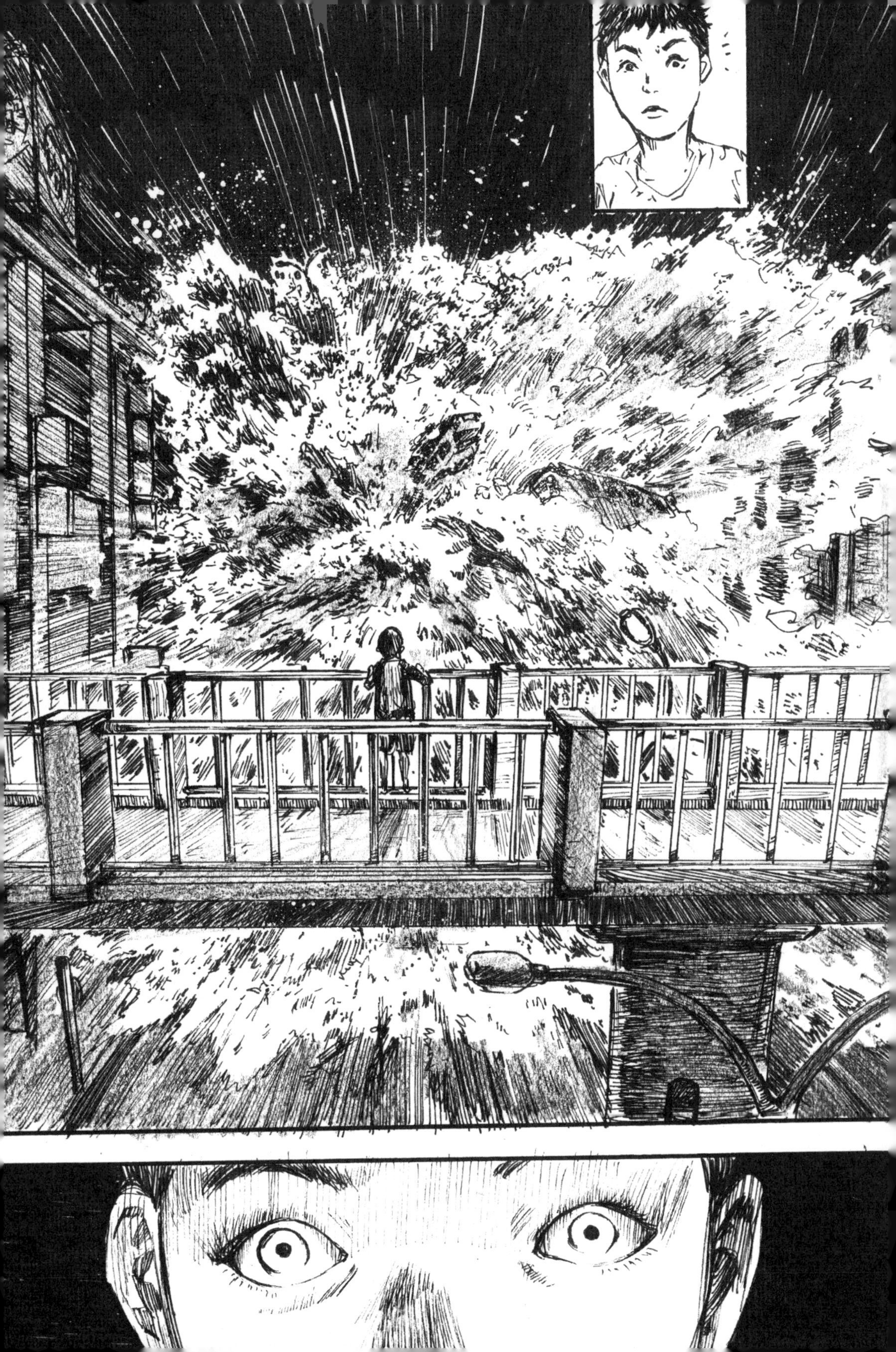

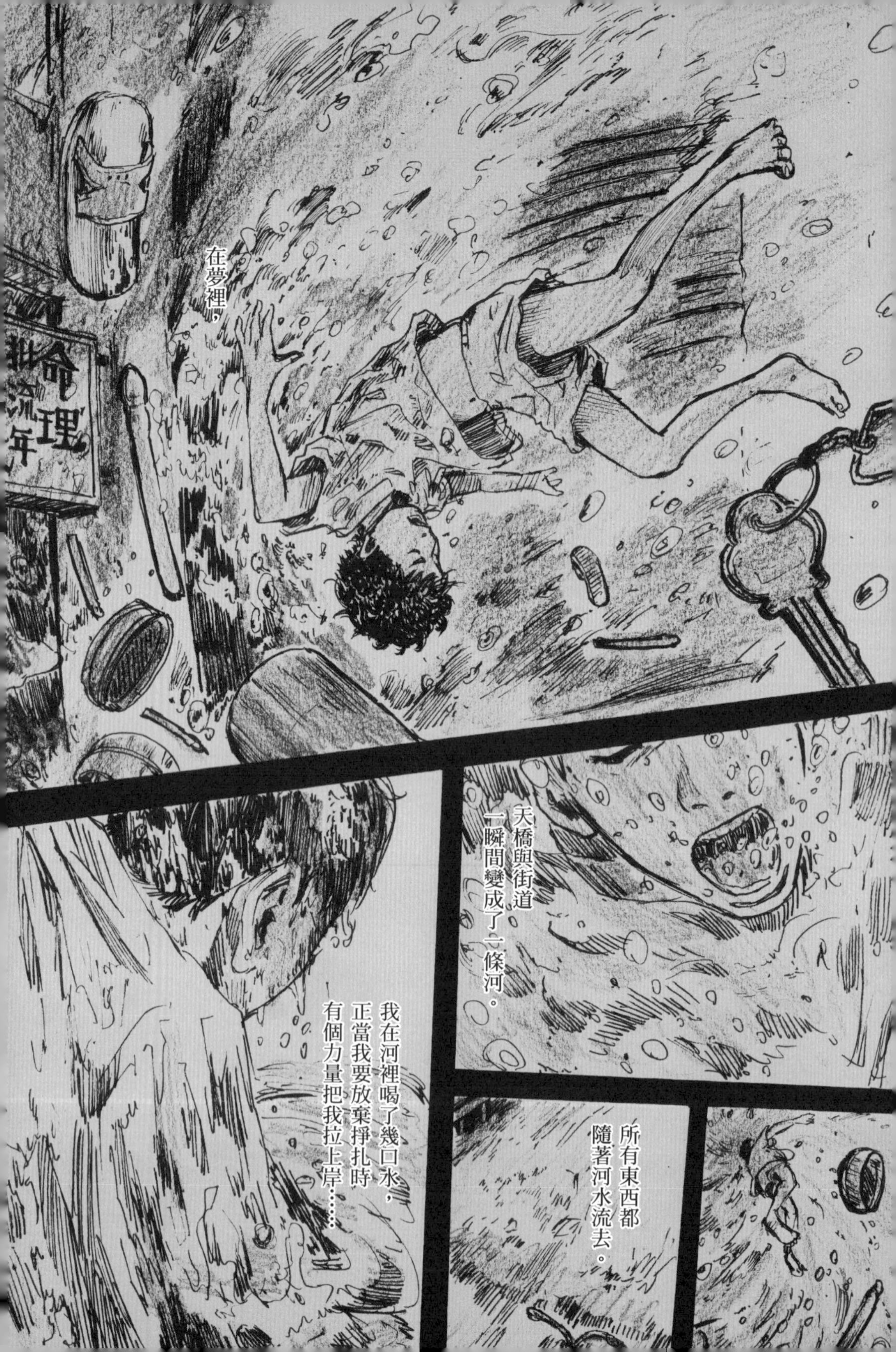
在夢裡，
命理
流年
天橋與街道
一瞬間變成了一條河。
所有東西都
隨著河水流去。
我在河裡喝了幾口水，
正當我要放棄掙扎時
有個力量把我拉上岸……

咳咳！
……

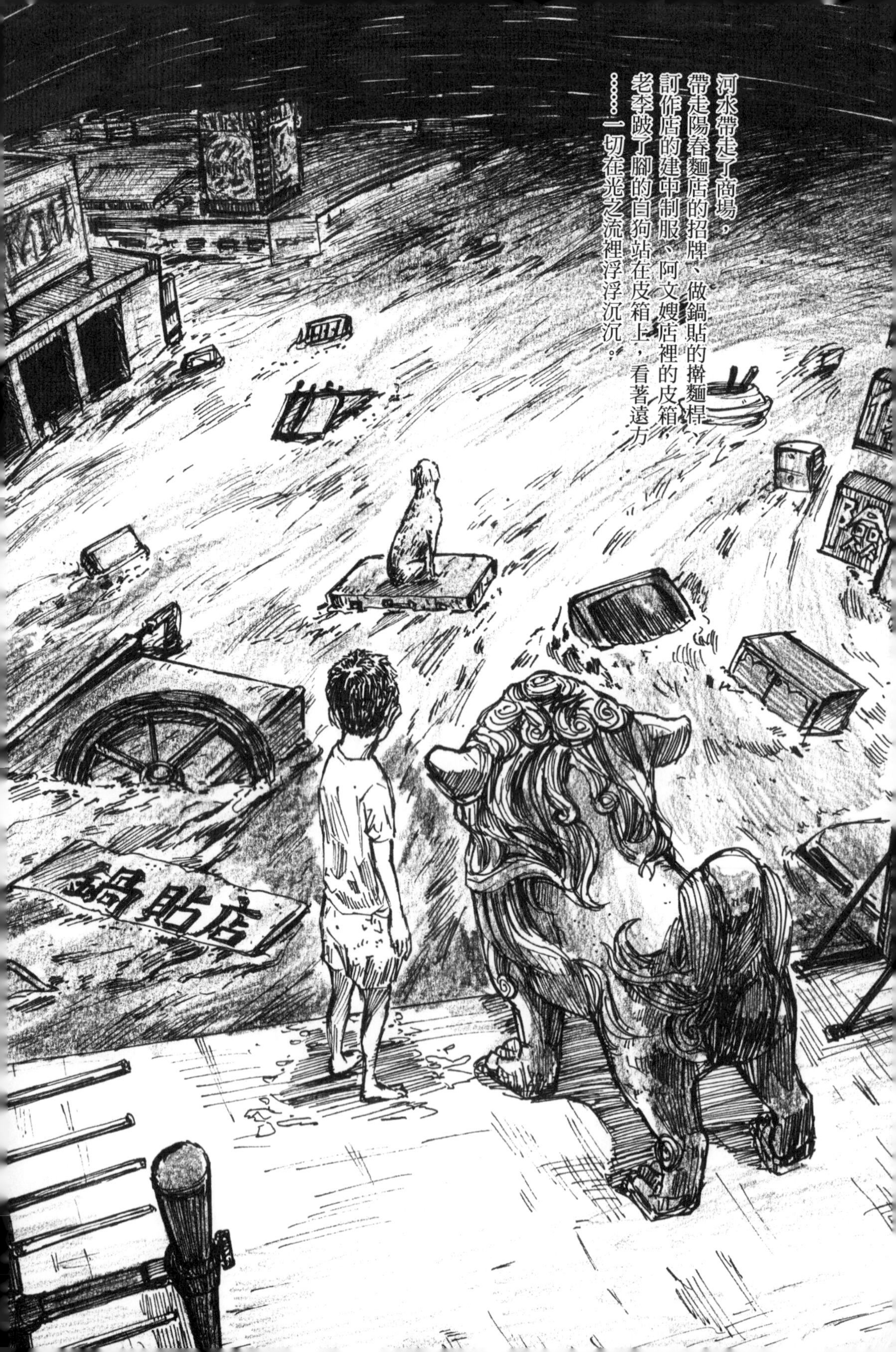
河水帶走了商場，
帶走陽春麵店的招牌、做鍋貼的擀麵桿、
訂作店的建中制服、阿文嫂店裡的皮箱，
老李跛了腳的白狗站在皮箱上，看著遠方
……一切在光之流裡浮浮沉沉。
鍋貼店

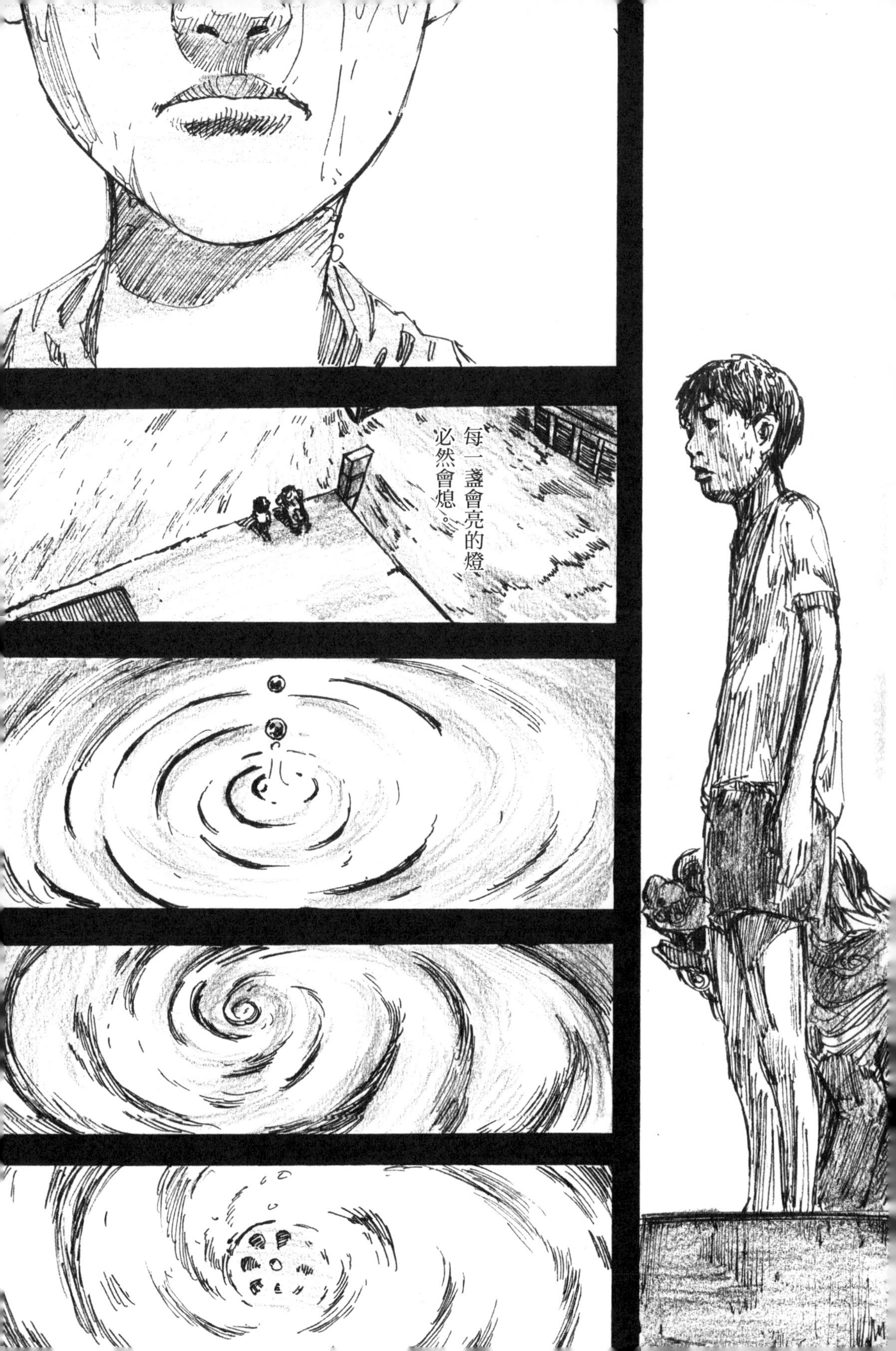
每一盞會亮的燈
必然會熄。

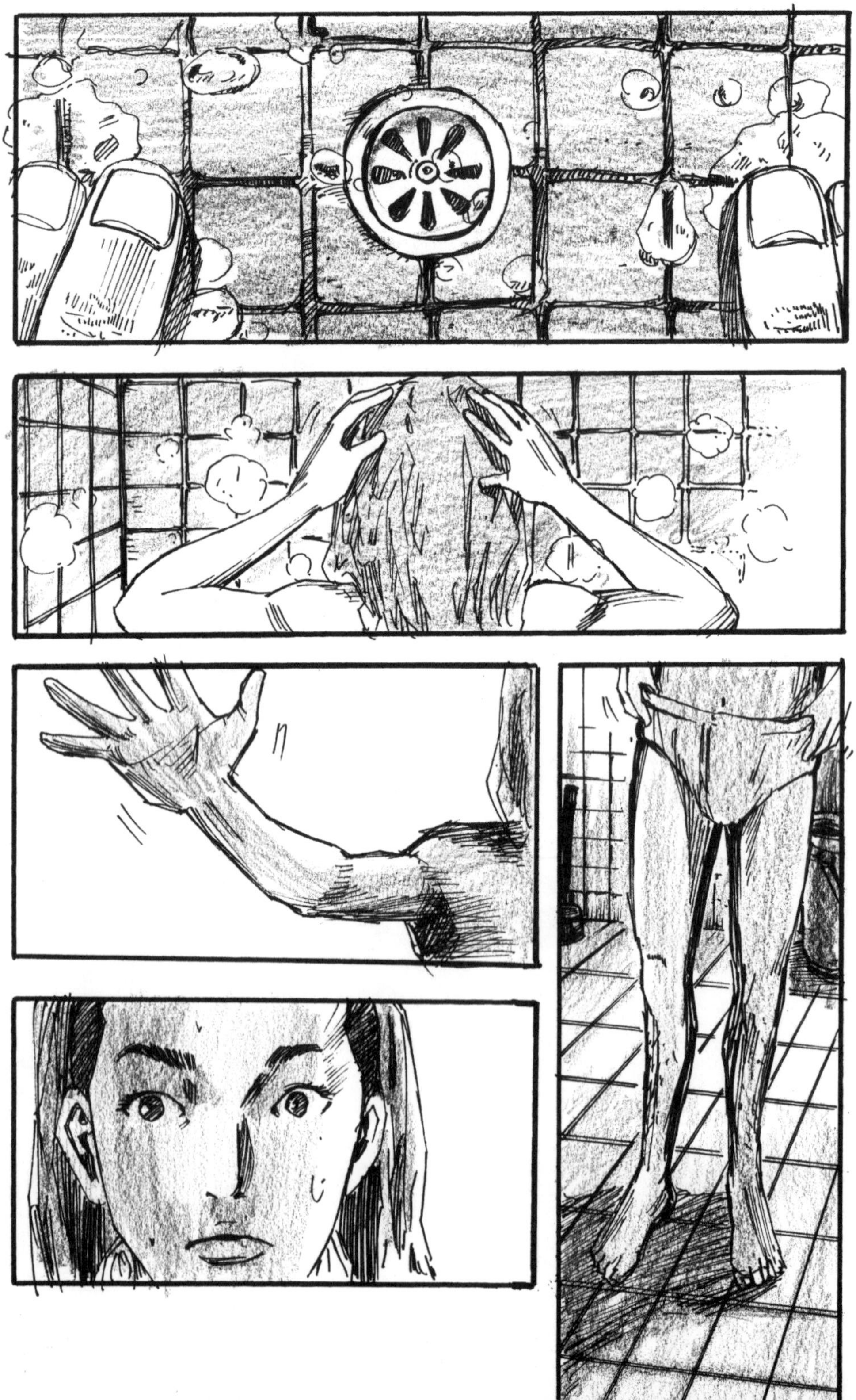

換妳洗了。
喔。
咕。
喀！

明天一早姨丈他們就出門去大甲嗎？
嗯，是啊，怎麼了？
噢，沒事。
那個……
可以麻煩你一件事嗎？明早幫我去圖書館還書。
喔，好啊。
謝謝。
喀！

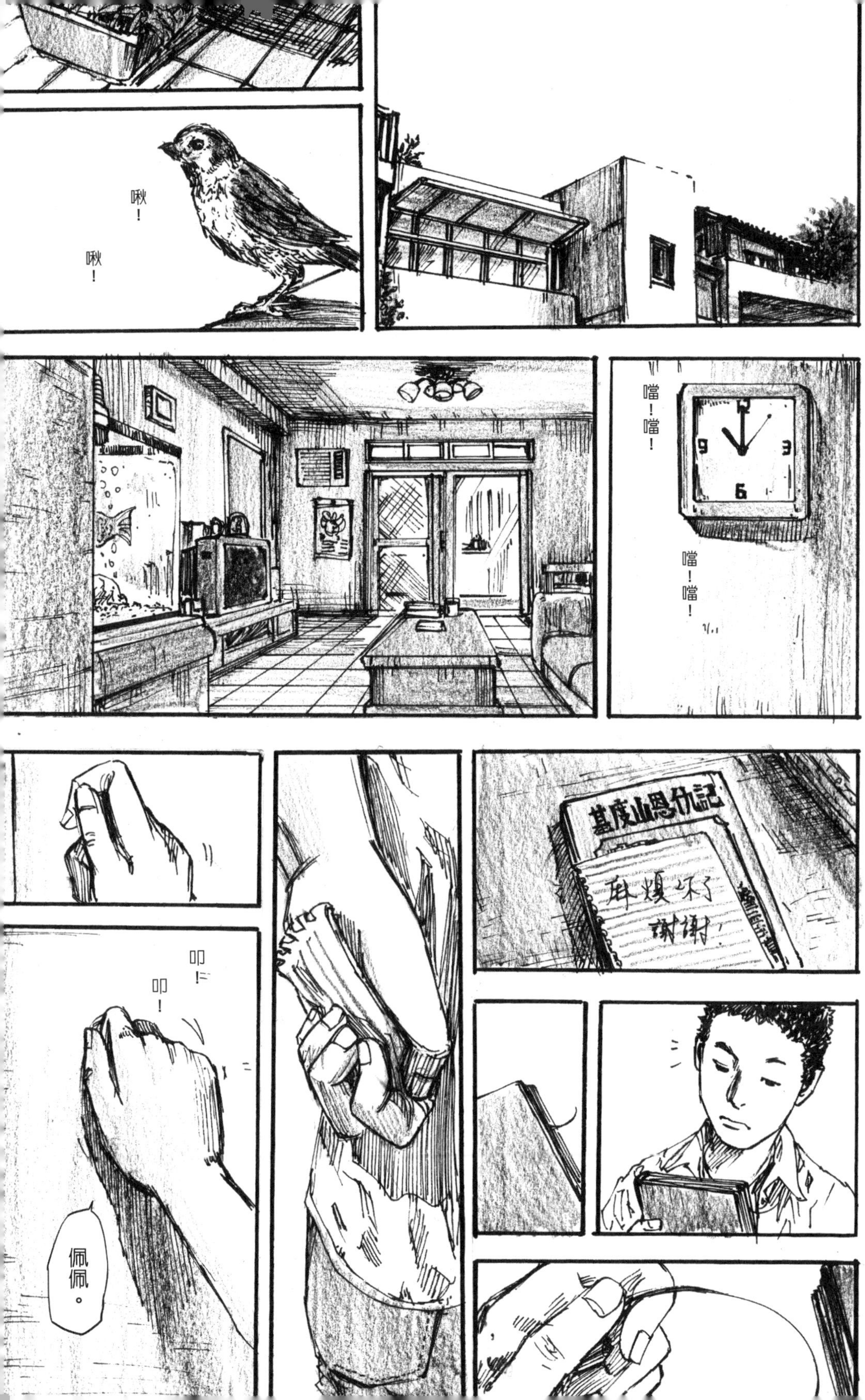

啾！
啾！
噹！噹！
噹！噹！
基度山恩仇記
麻煩你了
謝謝，
叩！
叩！
佩佩。

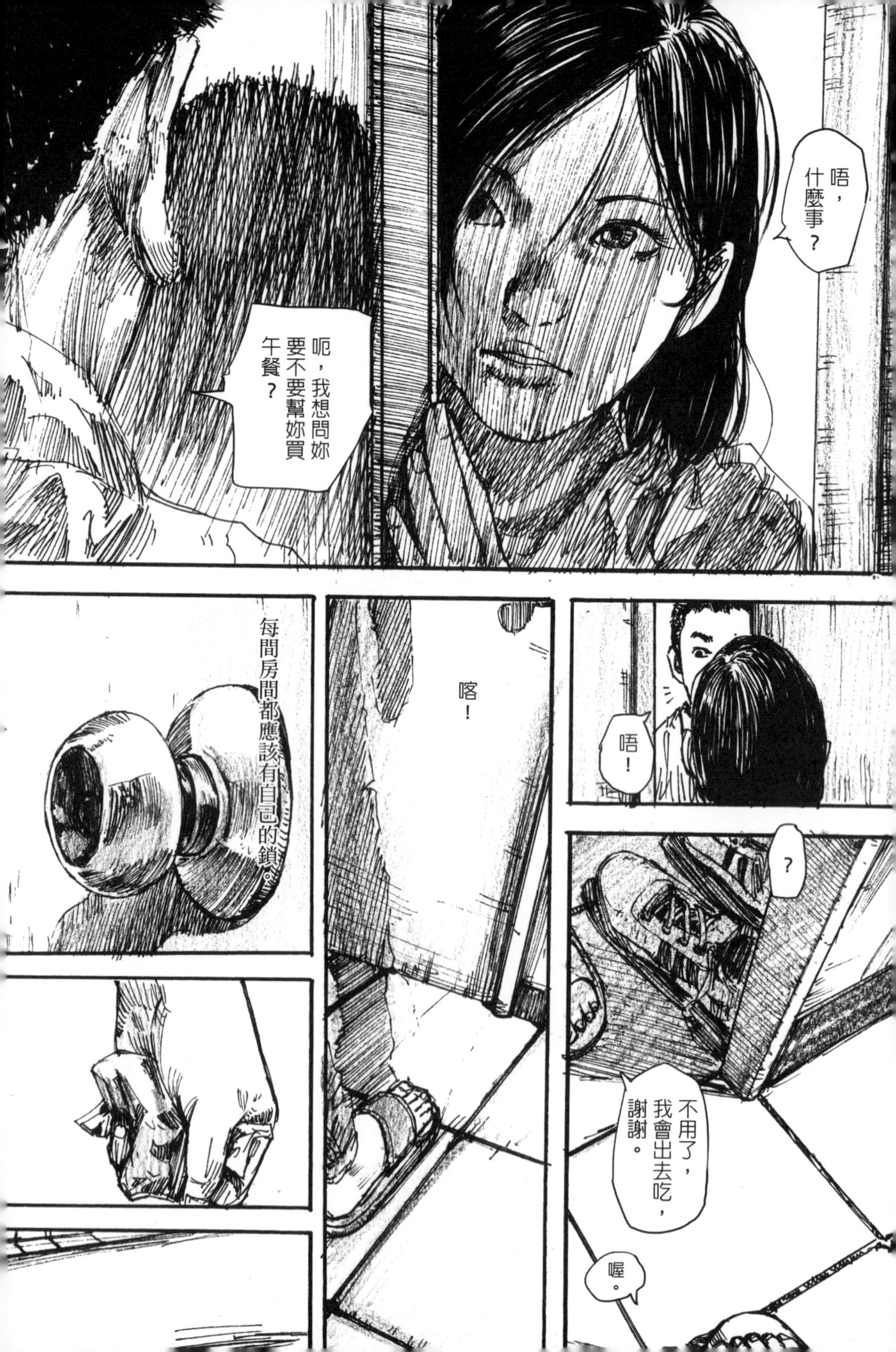
唔，什麼事？
呃，我想問妳要不要幫妳買午餐？
唔！
？
不用了，我會出去吃，謝謝。
喔。
喀！
每間房間都應該有自己的鎖。

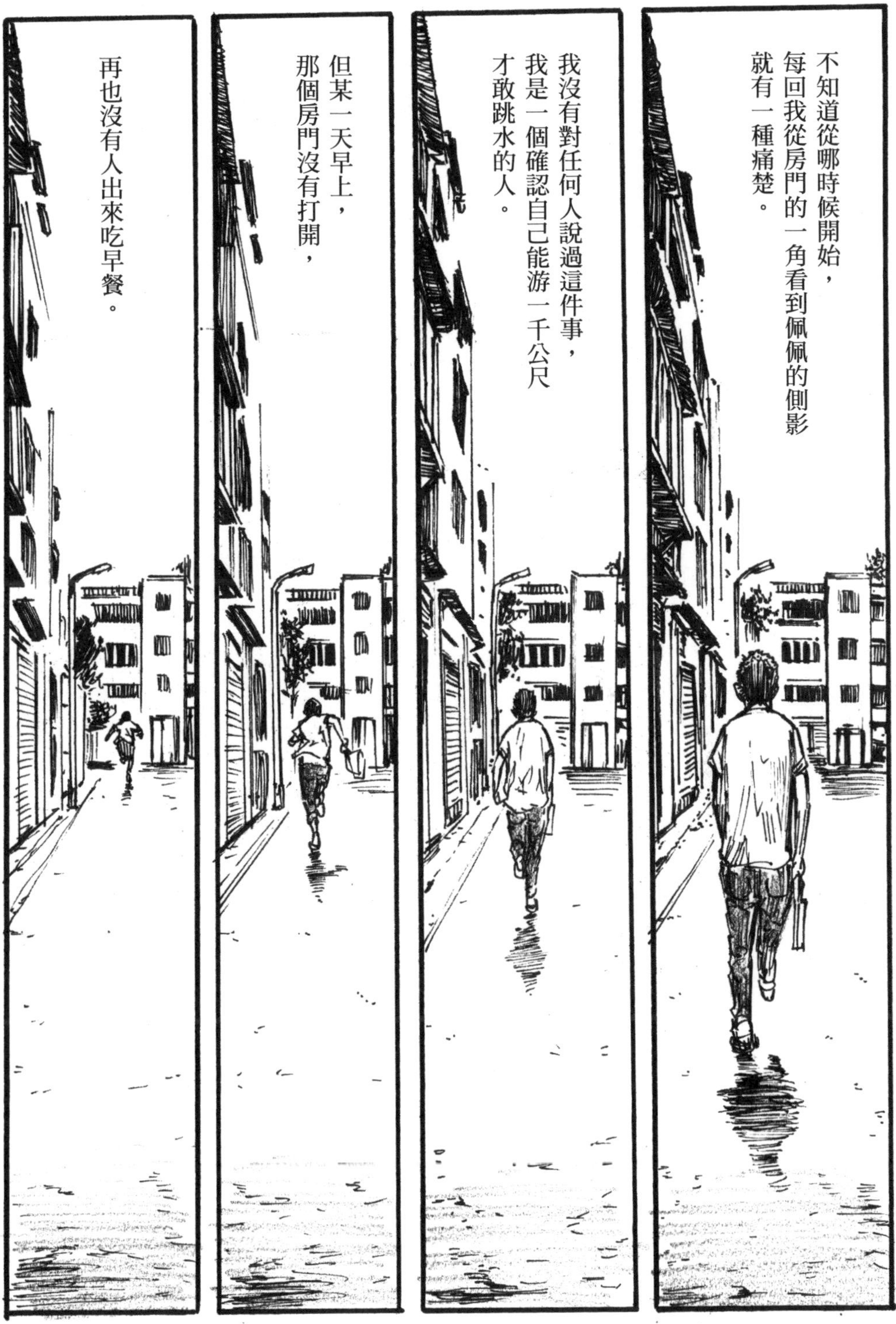
不知道從哪時候開始，
每回我從房門的一角看到佩佩的側影
就有一種痛楚。
我沒有對任何人說過這件事，
我是一個確認自己能游一千公尺
才敢跳水的人。
但某一天早上，
那個房門沒有打開，
再也沒有人出來吃早餐。

直到現在我仍然常常想起，石獅子為什麼要帶我到她家門口？
為什麼那把還是孩子的我打出來的，沒有經過實測的鑰匙，能那麼順當地打開她家的門呢？
叮咚！
嘖，傷腦筋耶你，老忘記帶鑰匙。
走吧，回家了。
嗯。
妳吃過沒？

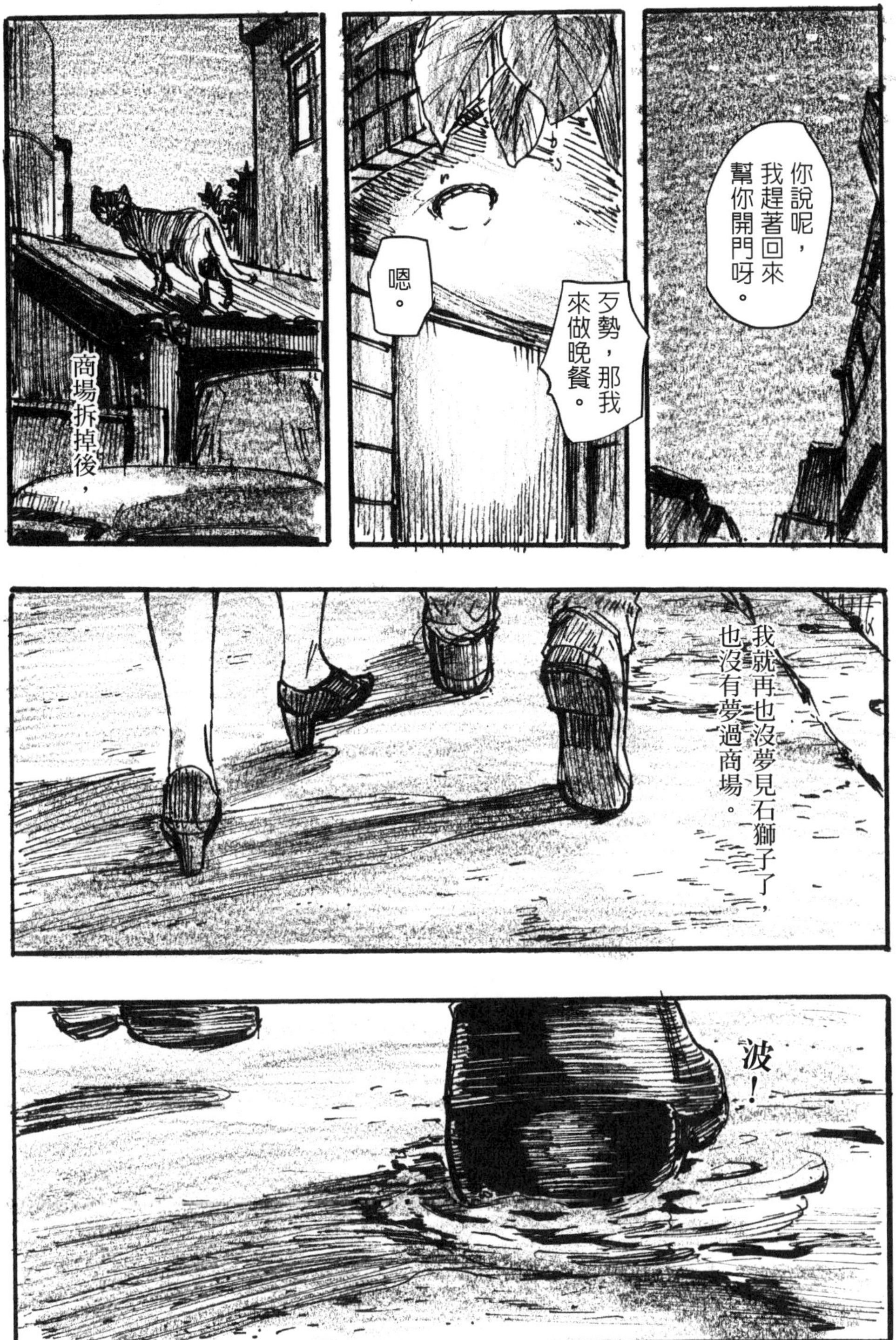
你說呢，我趕著回來幫你開門呀。
歹勢，那我來做晚餐。
嗯。
商場拆掉後，
我就再也沒夢見石獅子了，也沒有夢過商場。
波！

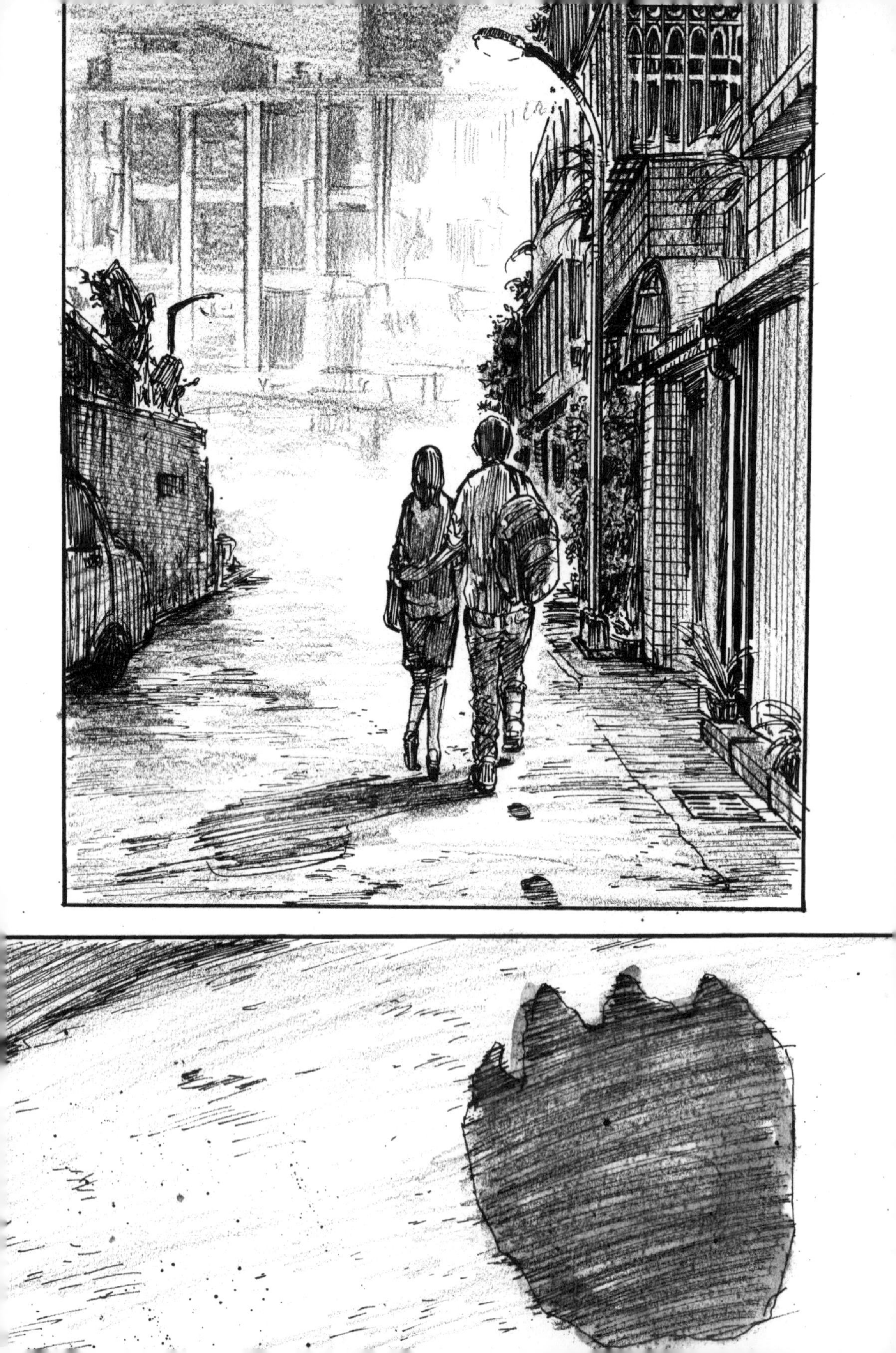

再回到這裡時——

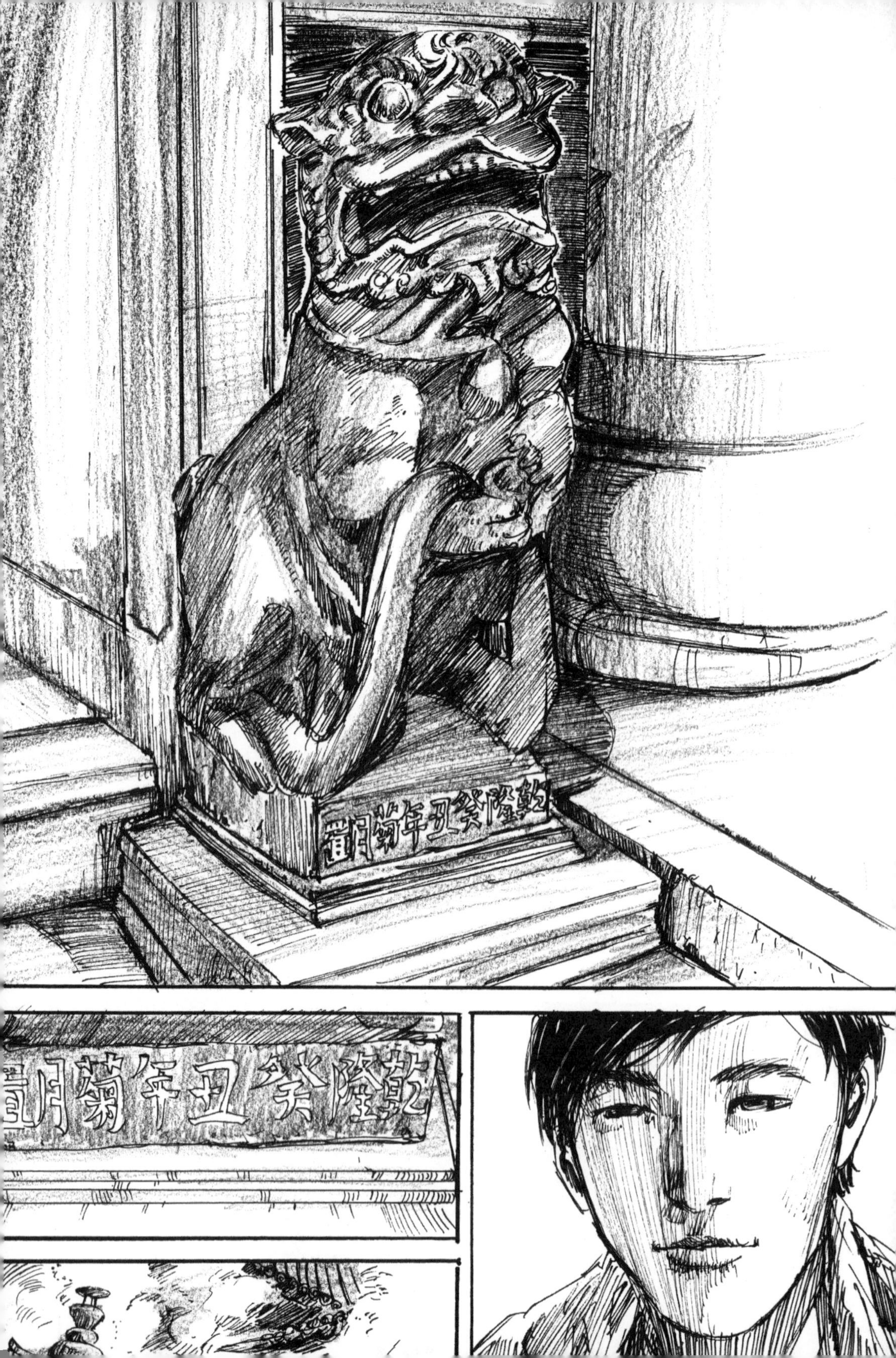
乾隆癸丑年菊月置

請問，你知道菊月是幾月？
八月是桂月，十月是陽月，菊月是九月。
那石獅子為什麼刻得不太像是真獅子？
據說如果石獅子刻得跟真獅子一樣，那麼牠就會跑走了。
跑走？
不過，即使跟真獅子不像，也是會跑出去的。
你說什麼？
沒什麼。
我只是在想，
那石獅子在這裡兩百多年了，
祂會記得哪些事。
如果祂們真的曾經跑出去過的話……

這世界上有太多用鑰匙打不開的東西，
不過，我一直相信，一把鑰匙被打出來之後，
也許總有一天會找到它應該開啟的東西。

金魚

即使冰塊融化了，還以水的形式存在。

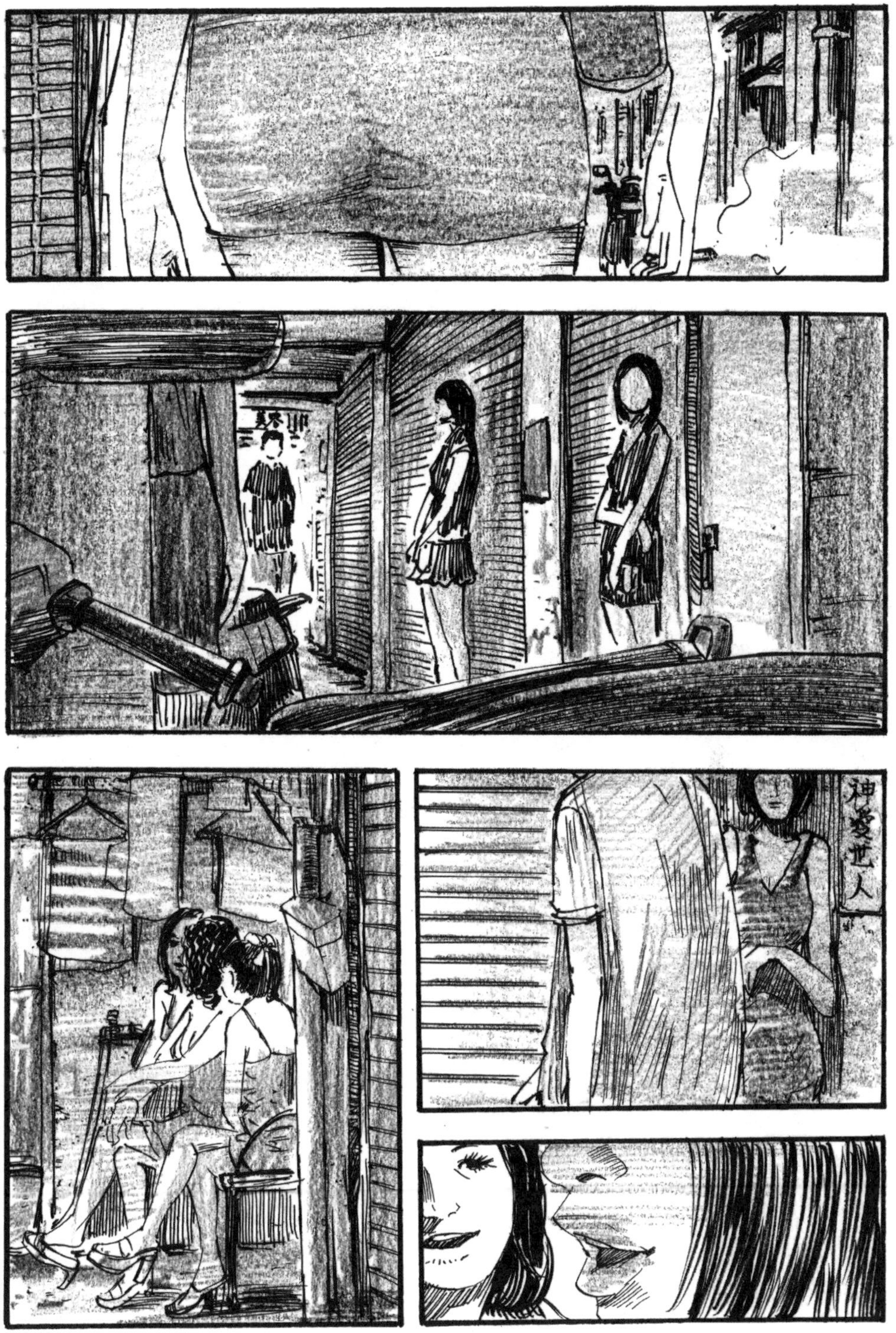
神愛世人

曼波理容院
油壓・指壓

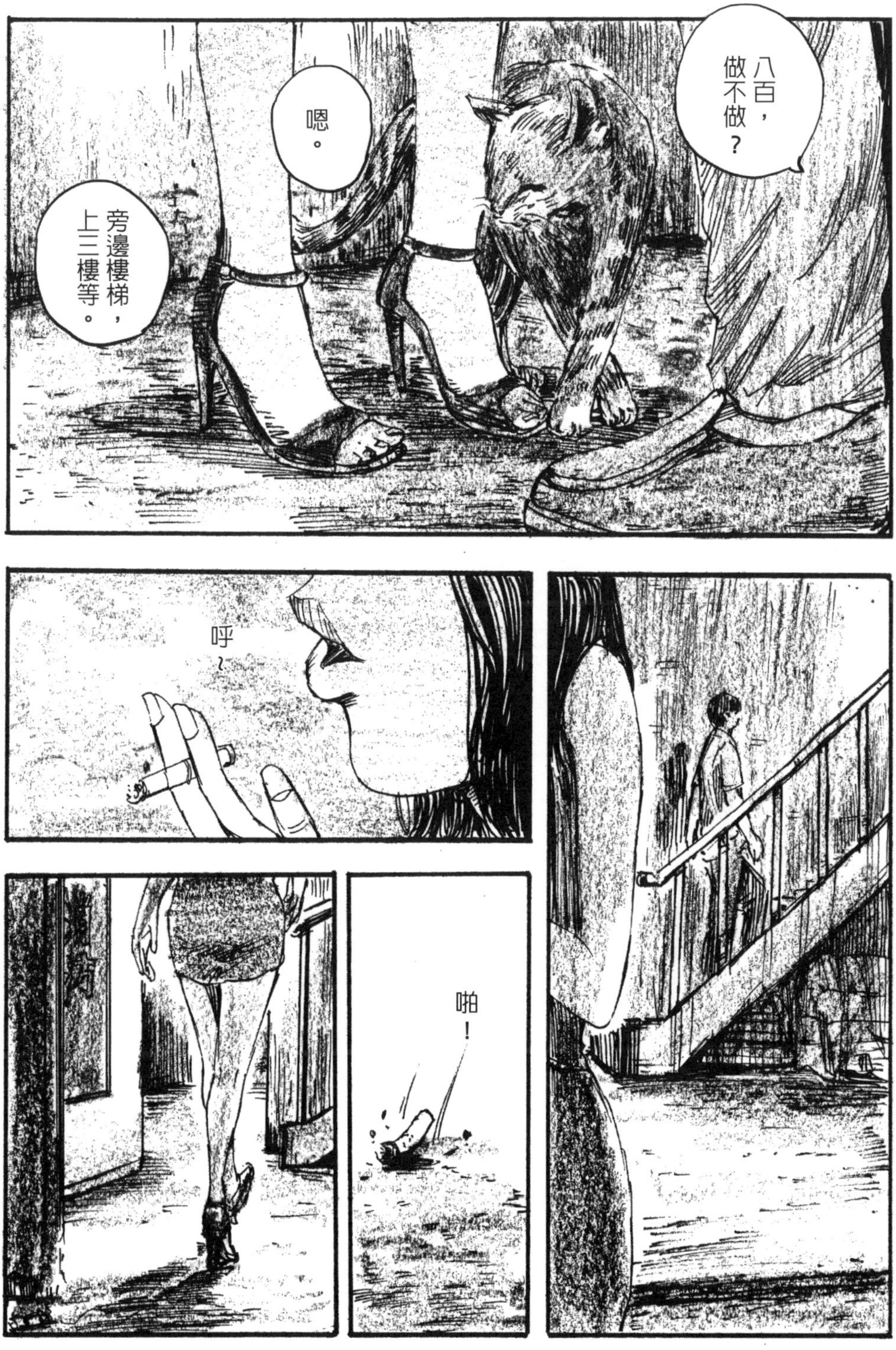
八百，做不做？
嗯。
旁邊樓梯，上三樓等。
呼～
啪！

喀!
喀啦!
噠!
噠!
噠!
噠!
噠!
噠!

等一下就回台中？
不確定，還沒想好。

喂！室內設計師會設計自己的家嗎？
不一定。
你最近比較常來耶，不用工作嗎？
我工作時間很自由。
也對，和妳現在的工作比起來，房仲業較像騙局。
自由，以前我在酒店和房仲業時也是耶。
回想起來，房仲業比較像騙子，總是說好的。
哈，是啊。
嗯……

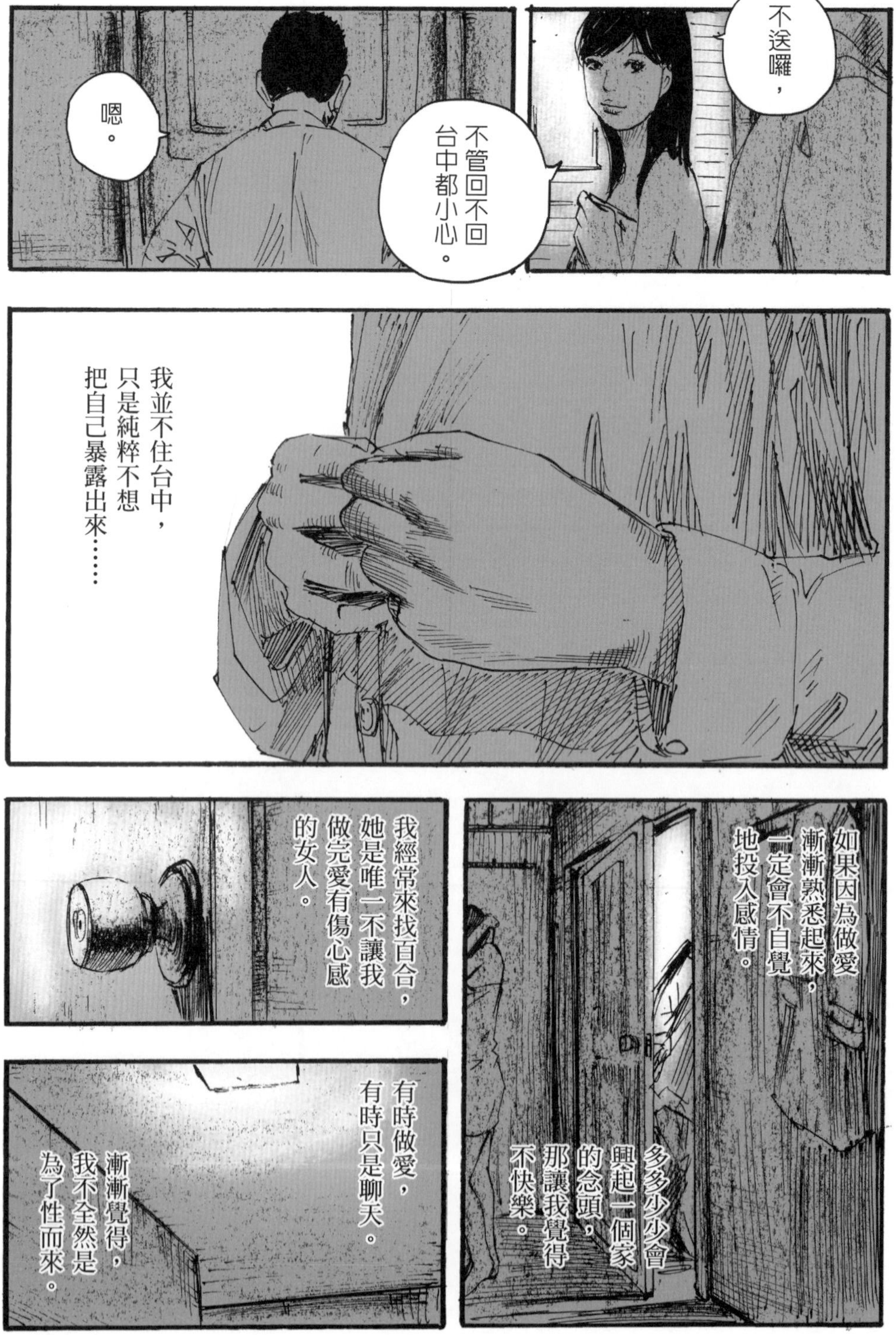
不送囉，
不管回不回台中都小心。
嗯。
我並不住台中，只是純粹不想把自己暴露出來……
如果因為做愛漸漸熟悉起來，一定會不自覺地投入感情。
多多少少會興起一個家的念頭，那讓我覺得不快樂。
我經常來找百合，她是唯一不讓我做完愛有傷心感的女人。
有時做愛，有時只是聊天。
漸漸覺得，我不全然是為了性而來。

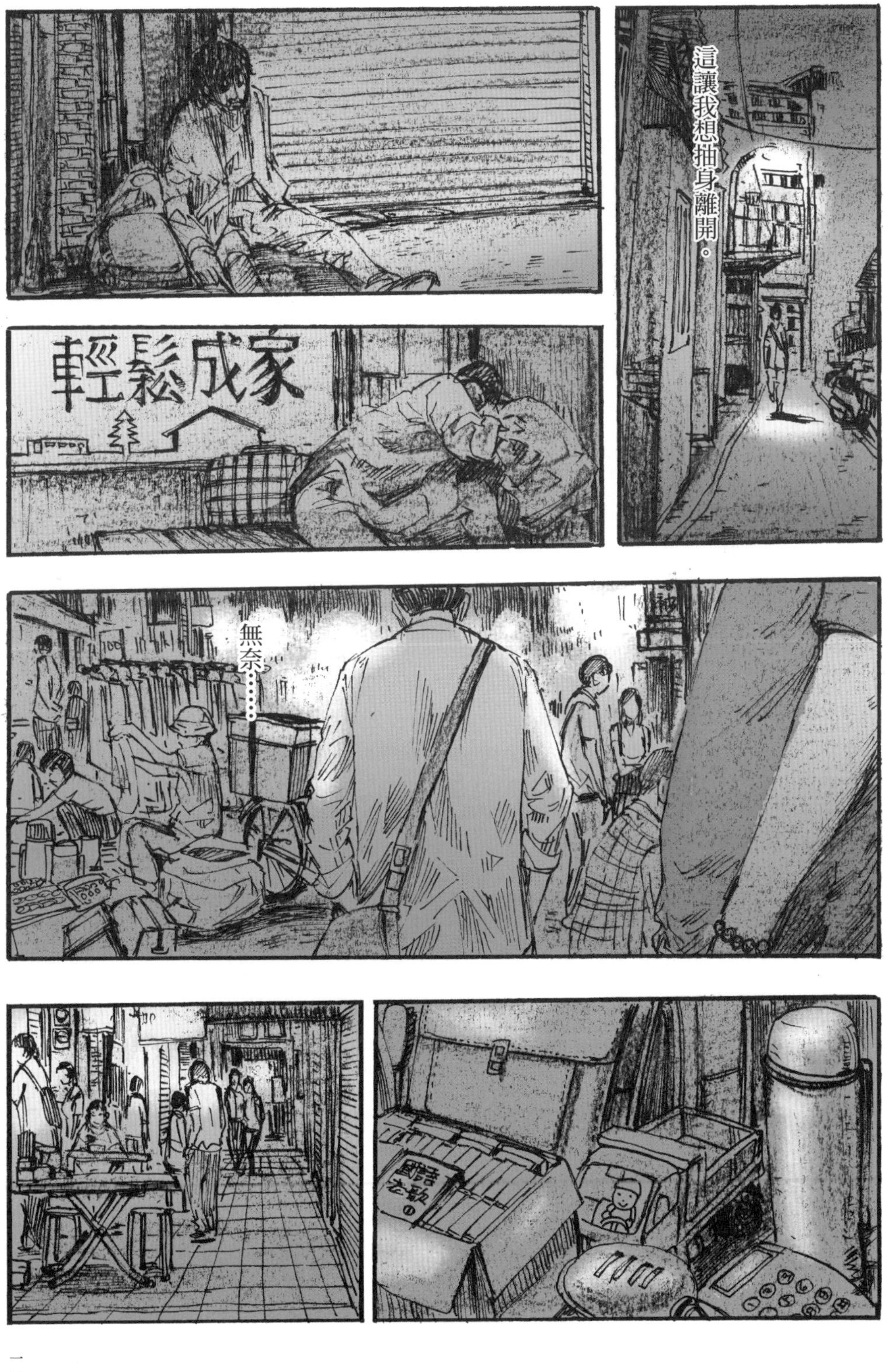
輕鬆成家
這讓我想抽身離開。
無奈……

無奈的是，
我已經深深愛上
深夜萬華腐敗的氣息了。

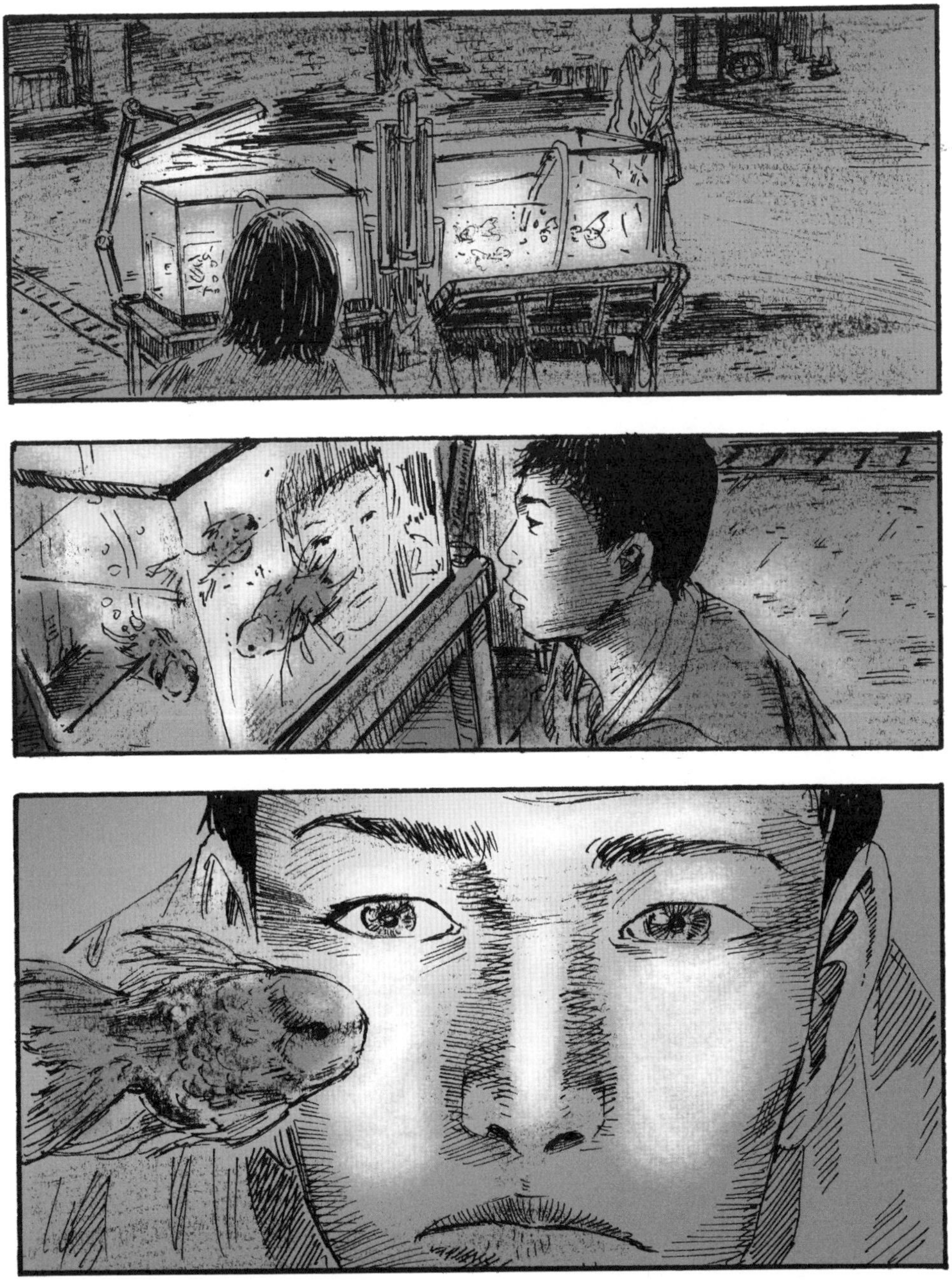

我畫好了。
哈，有點醜。

有那個型，我就能變囉。
仔細看喔！
……
還是改不了咬指甲。

我應該要上色的……
牠就不會透明得像冰塊一樣。
你剛有看清楚他怎麼變的嗎？
唔……
沒耶。
魔術好奇妙喔。
特莉莎對大多數的男孩來說，是遙不可及的，像星辰一樣的事物。
這個特別的名字是音樂老師取的，座位上都有英文名字，指定坐哪就叫那個名字。

特莉莎長得太高，
肩膀細小，腿長得驚人。
穿上運動褲時完全不再是個小學生。
當所有孩子還是孩子的時候，
特莉莎已經有一種在那年紀
不被允許的誘人本質。
而全班
只有一個男生比他高。
那就是我。
咕嚕。
啪！

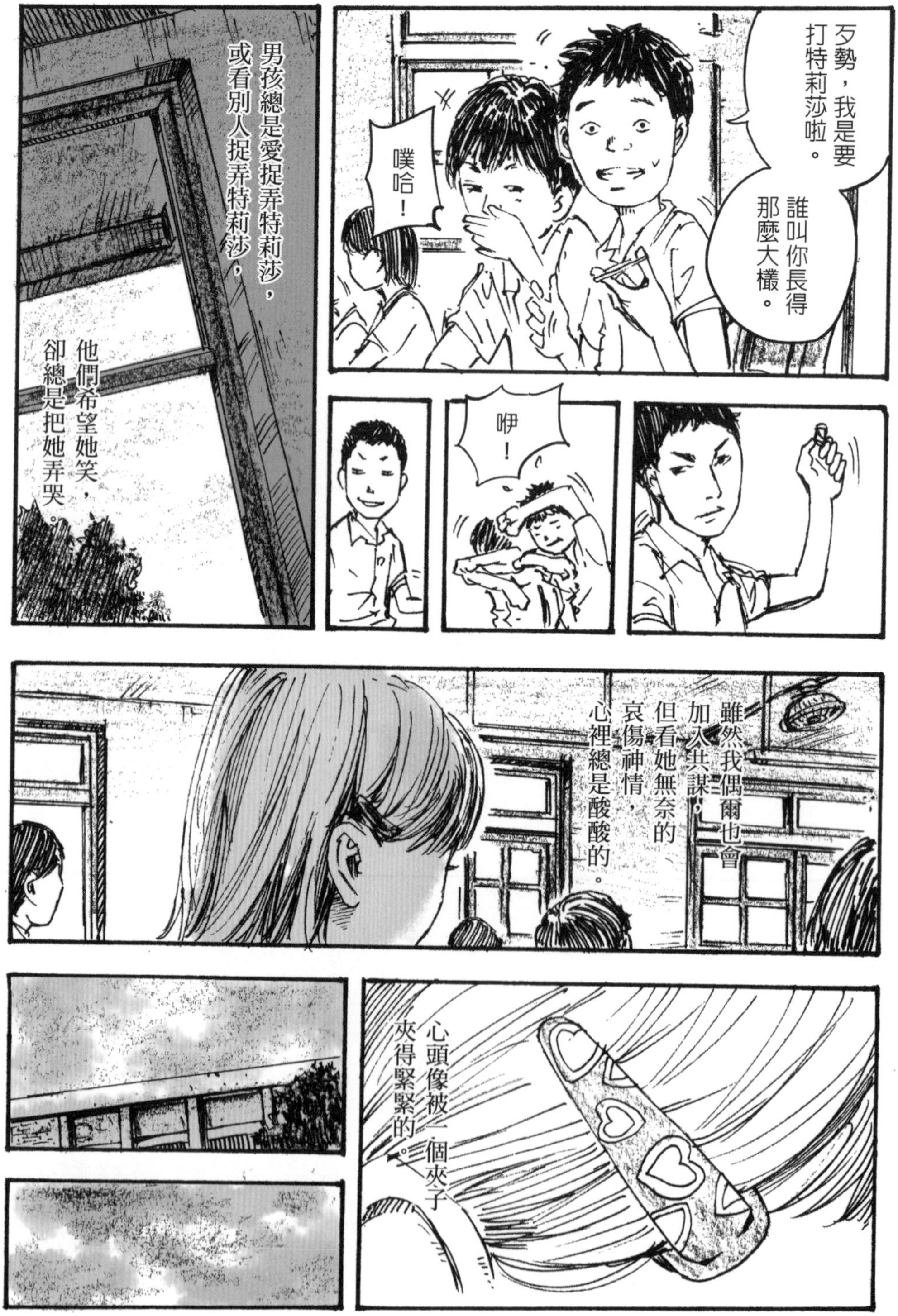
歹勢，我是要
打特莉莎啦。
誰叫你長得
那麼大欉。
噗哈！
男孩總是愛捉弄特莉莎，
或看別人捉弄特莉莎，
他們希望她笑，
卻總是把她弄哭。
咿！
雖然我偶爾也會
加入共謀，
但看她無奈的
哀傷神情，
心裡總是酸酸的。
心頭像被一個夾子
夾得緊緊的。

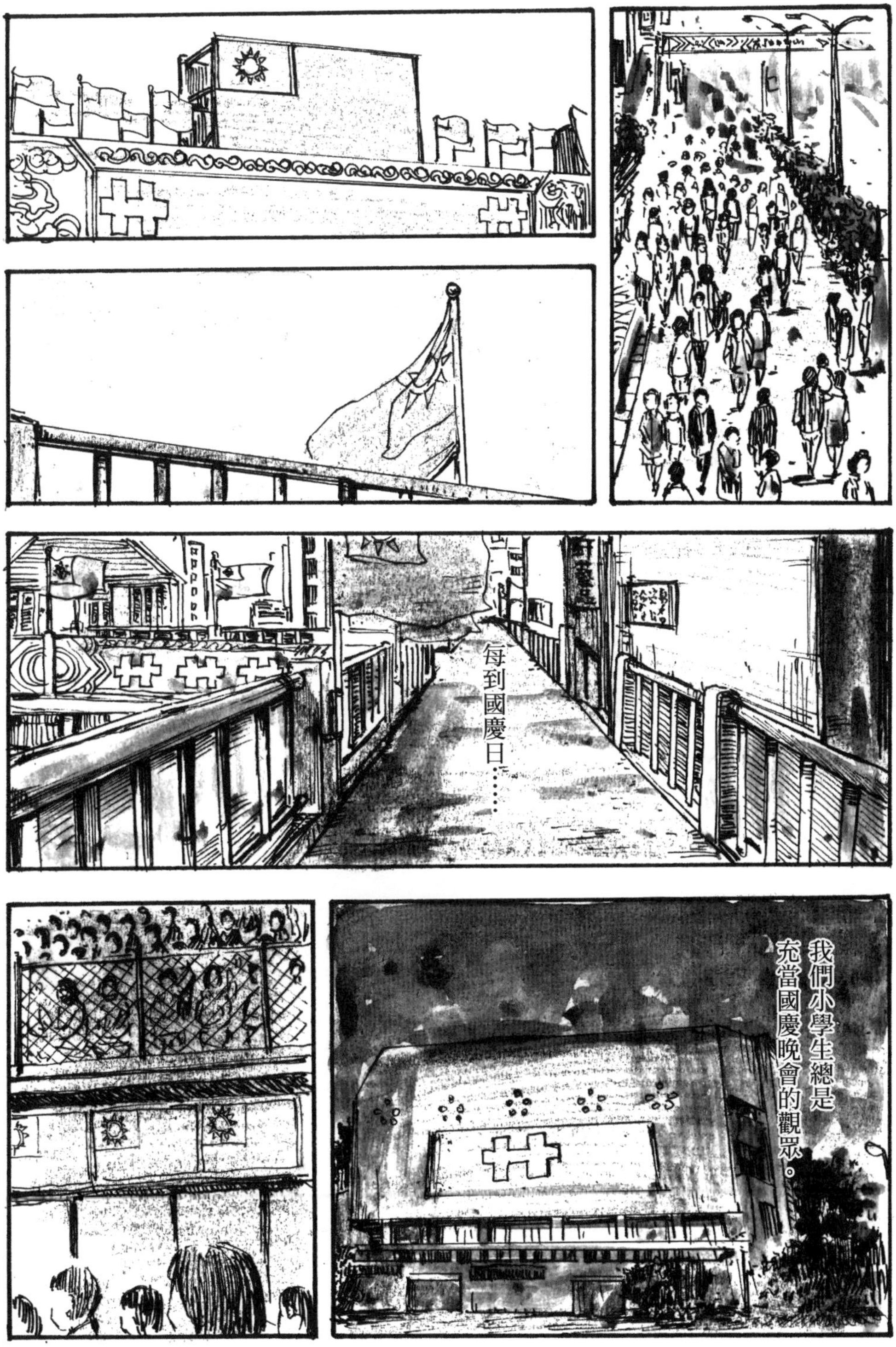
每到國慶日……
我們小學生總是
充當國慶晚會的觀眾。

呼嚕。
呼嚕嚕嚕。
表演應該很精采吧？
可是由於冷氣很舒服，我總是很快地睡著。
好有趣！
哈！
唔？

特莉莎流血了！
唔！
流了好多血喔！
是不是受傷了？
唔？
阿豪，特莉莎怎麼了？
屁股流血啊。
白癡！是月經啦。
我姊姊也有這樣。
是喔。
好多血啊，怎麼辦？
好恐怖喔。
導師咧？快去找導師！

給……給妳，
把它綁在腰上罩著，
手帕拿去擦手……

導師來了。
別擔心。
大家坐好，班長維持秩序。
是，老師。
叮!叮!
叮!
叮!

那天謝謝你，
外套手帕都洗好了。
喔，謝謝妳。

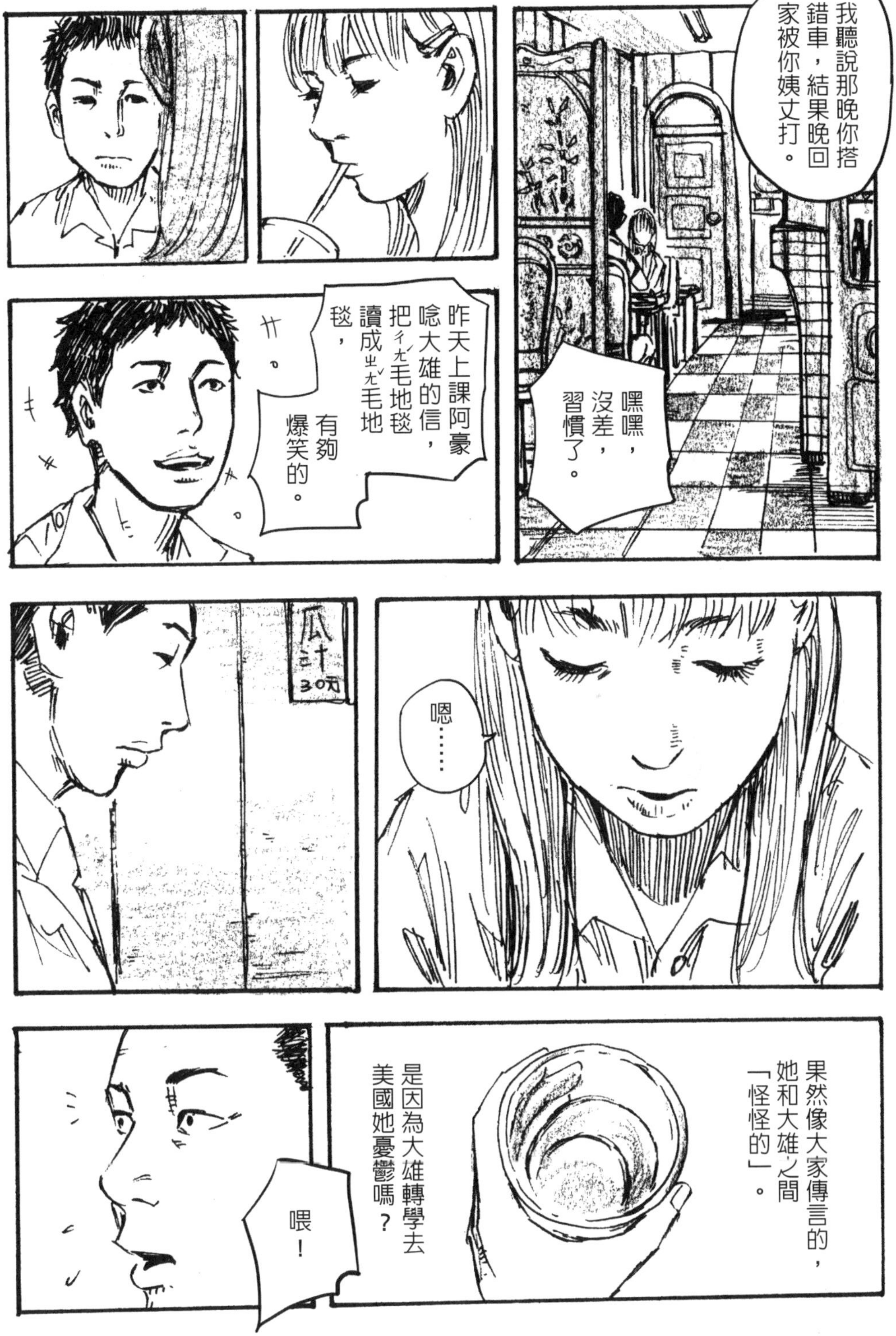
我聽說那晚你搭錯車，結果晚回家被你姨丈打。
嘿嘿，沒差，習慣了。
昨天上課阿豪唸大雄的信，把ㄔㄤˊ毛地毯讀成ㄓㄤˇ毛地毯，有夠爆笑的。
嗯……
果然像大家傳言的，她和大雄之間「怪怪的」。
是因為大雄轉學去美國她憂鬱嗎？
喂！

回魂囉！
你還是和小學一樣，常常發呆耶。
呵！有嗎？
我爸不在，進來吧。
幫我把門關上。
嗯。
紫微斗數
八字論命
你姨丈還會管東管西，藉故打你嗎？
我上國中就不太管我了，放棄了吧。
你會記恨嗎？
不會啊，
我爸媽死後是他們把我養大的。
？

噗嚕~
噗嚕~
新同學比較透明，你們別撞到喔。
冰箱有可樂要不要喝？
噗嚕~
噗嚕~
不用，我不渴。
噗嚕~
噗嚕~
噗嚕~

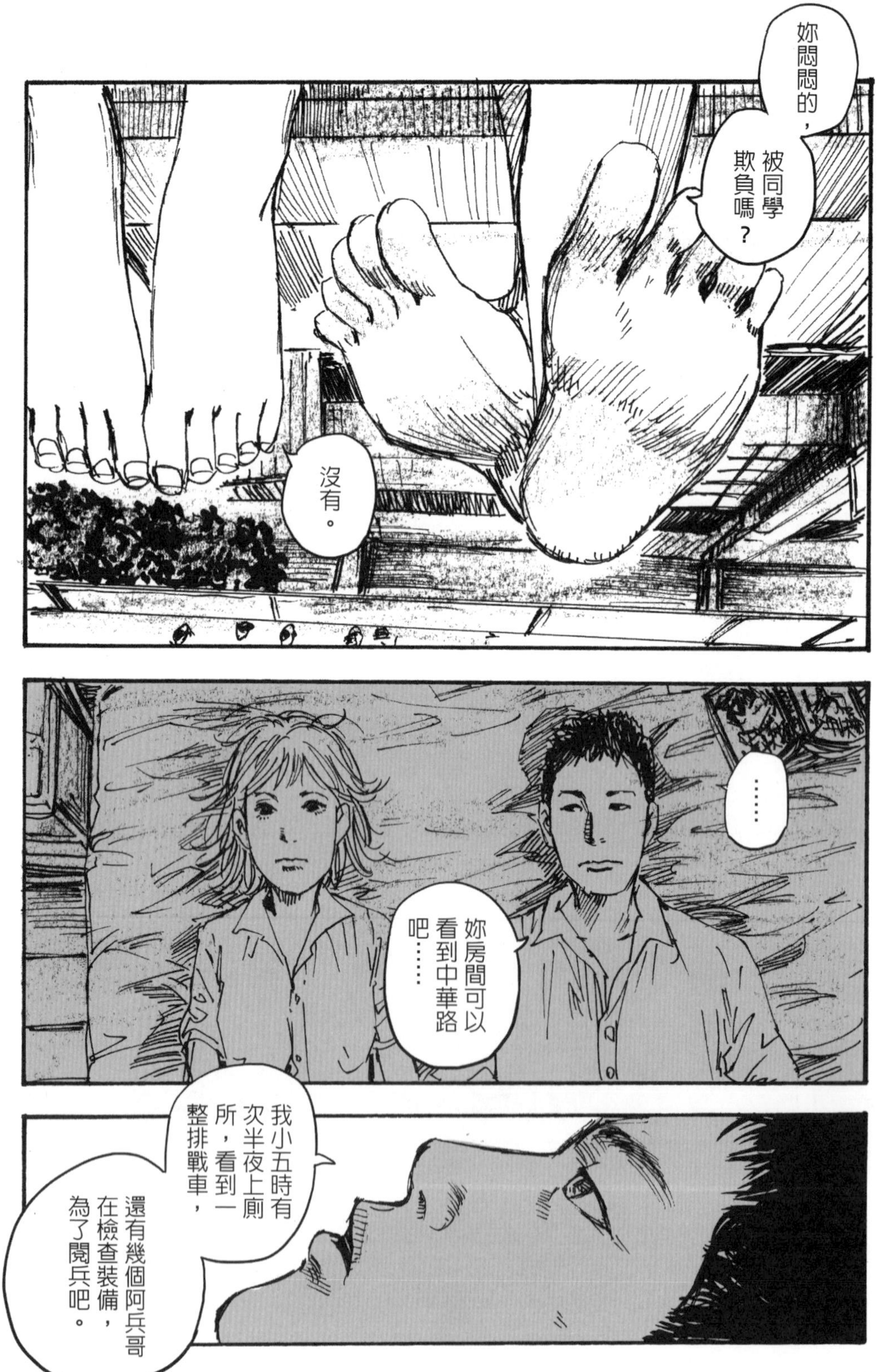
妳悶悶的，
被同學欺負嗎？
沒有。
……
妳房間可以看到中華路吧……
我小五時有次半夜上廁所，看到一整排戰車，
還有幾個阿兵哥在檢查裝備，為了閱兵吧。

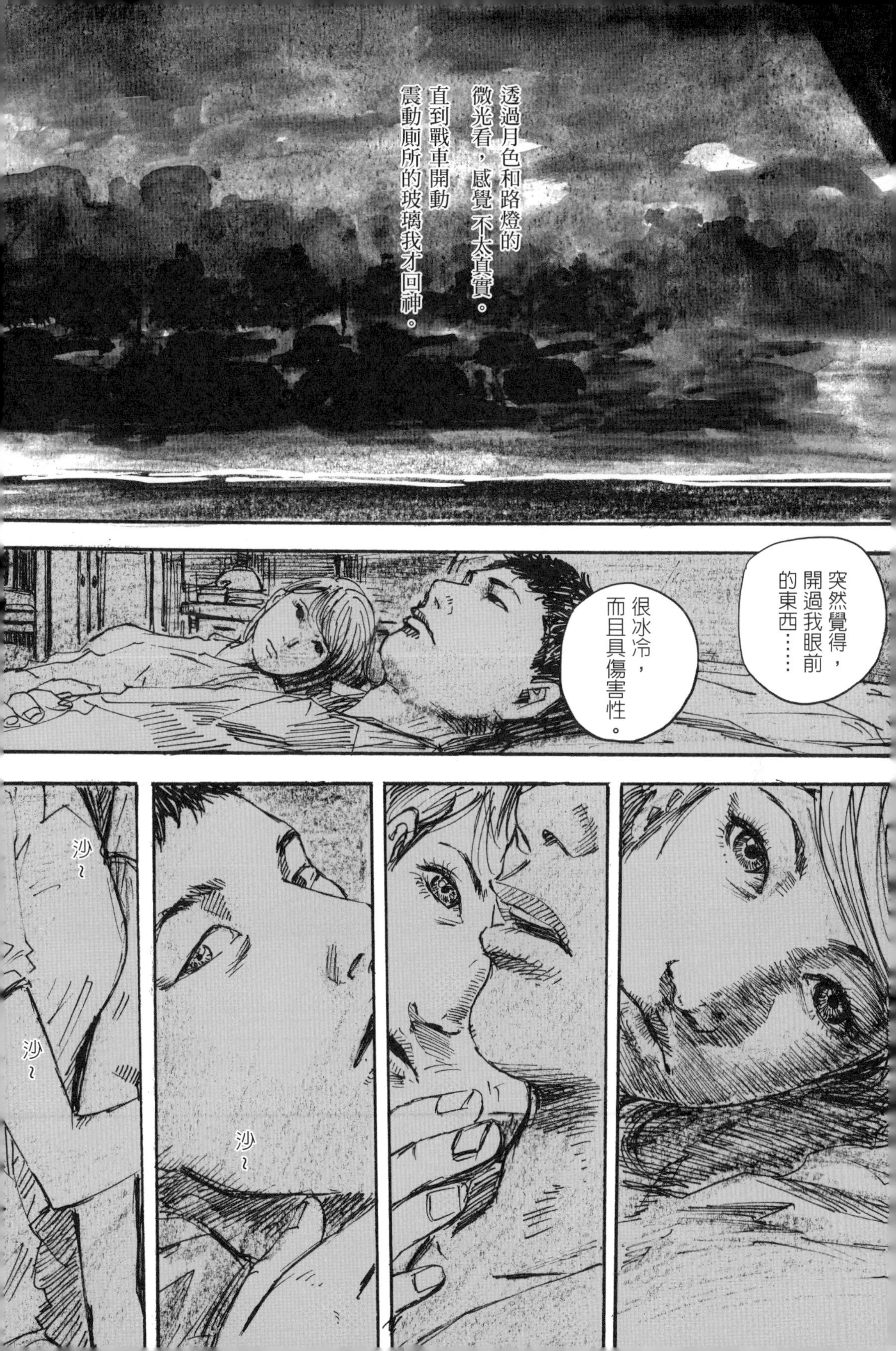
透過月色和路燈的
微光看，感覺不太真實。
直到戰車開動
震動廁所的玻璃我才回神。
突然覺得，開過我眼前的東西……
很冰冷，而且具傷害性。
沙～
沙～
沙～

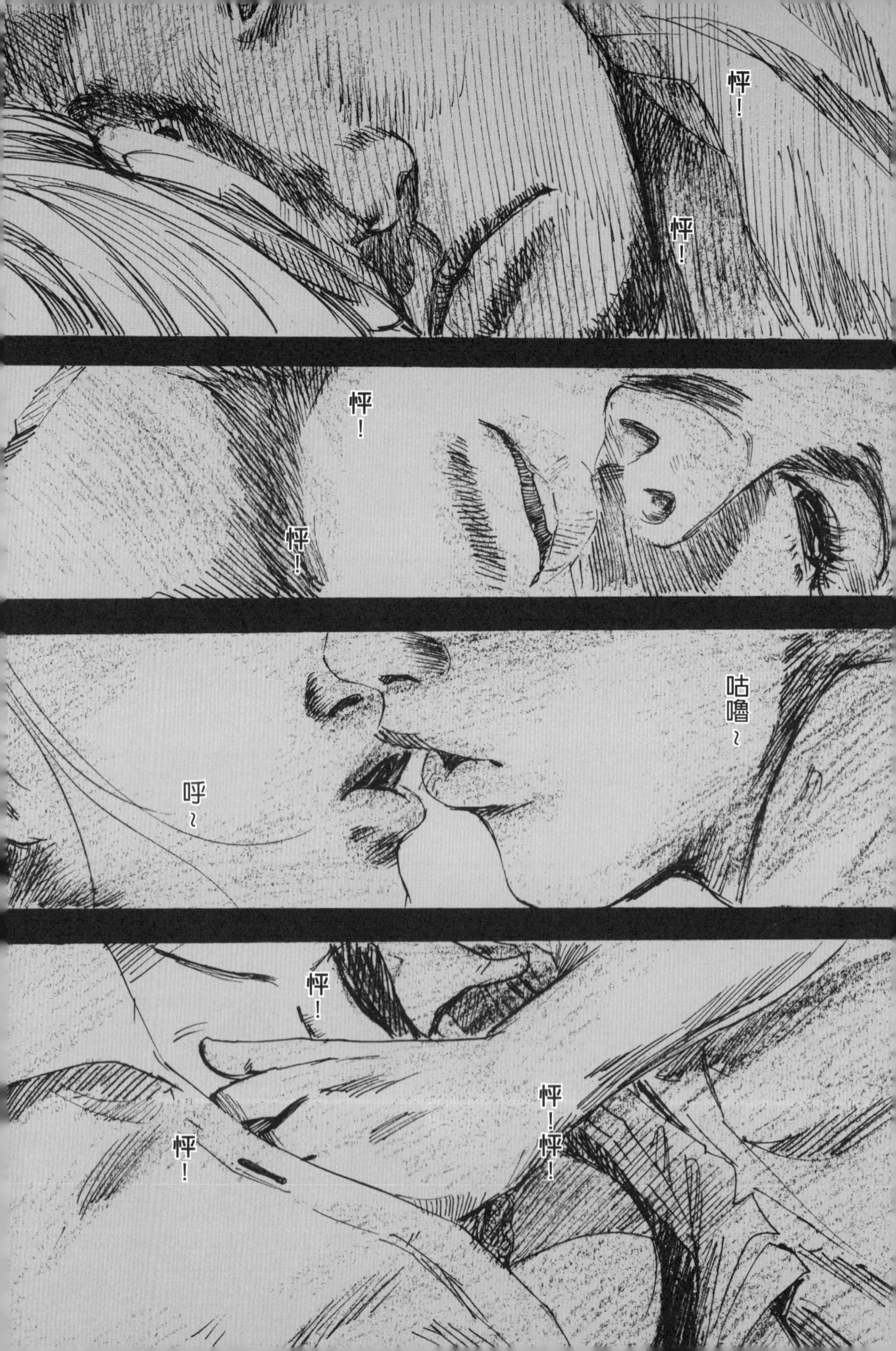

怦！
怦！
怦！
怦！
咕嚕～
呼～
怦！怦！
怦！
怦！

呼~
呼~
呼~
呼嗯~
呼呼~
呼嗯~
呼~

噗嚕～
噗嚕～
噗嚕～

呼嗯～
呼嗯～
呼嗯～
呼～
呼～
呼～
呼嗯～
呼嗯～

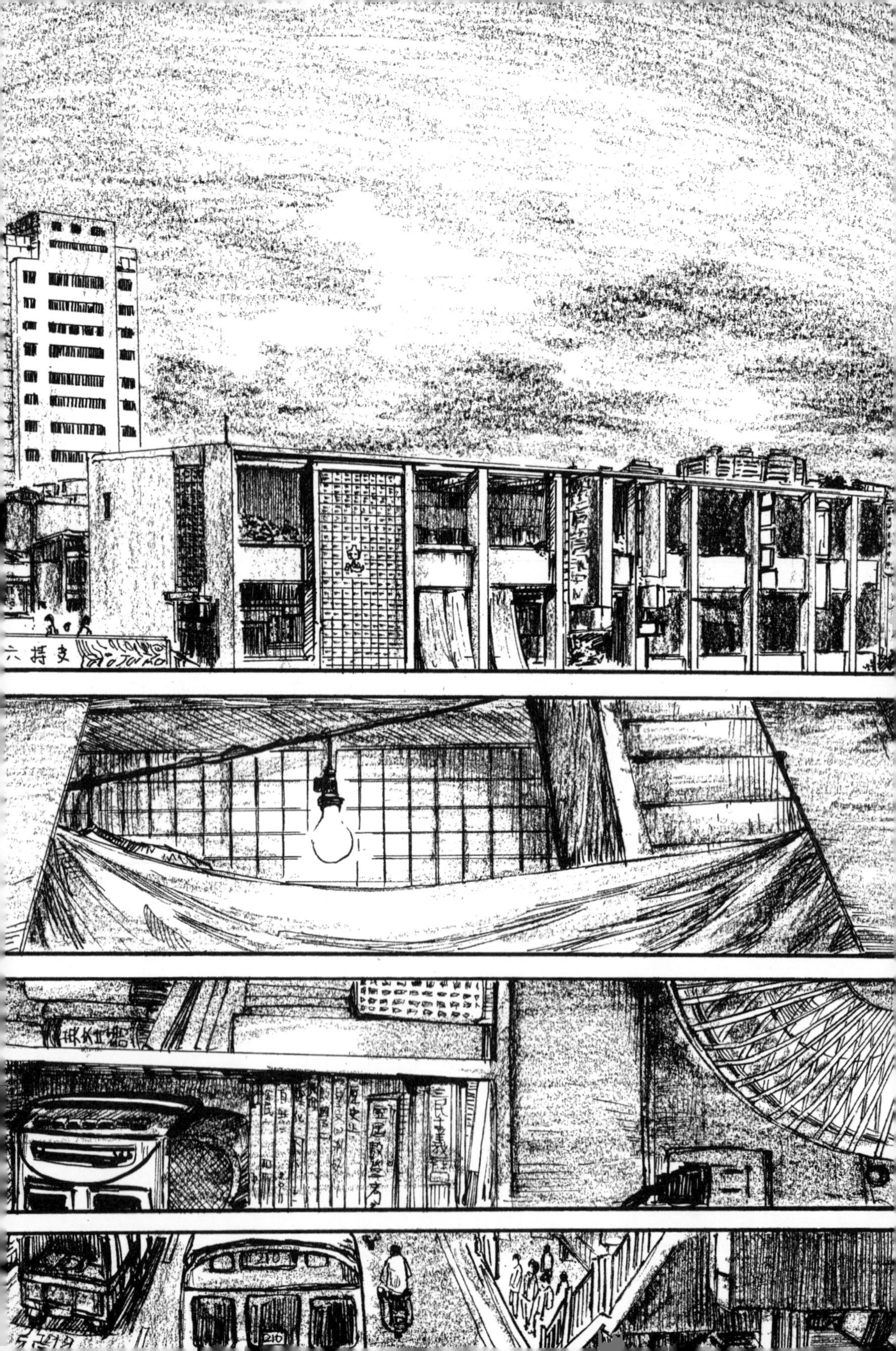

……
你搭下一班。
拜拜。

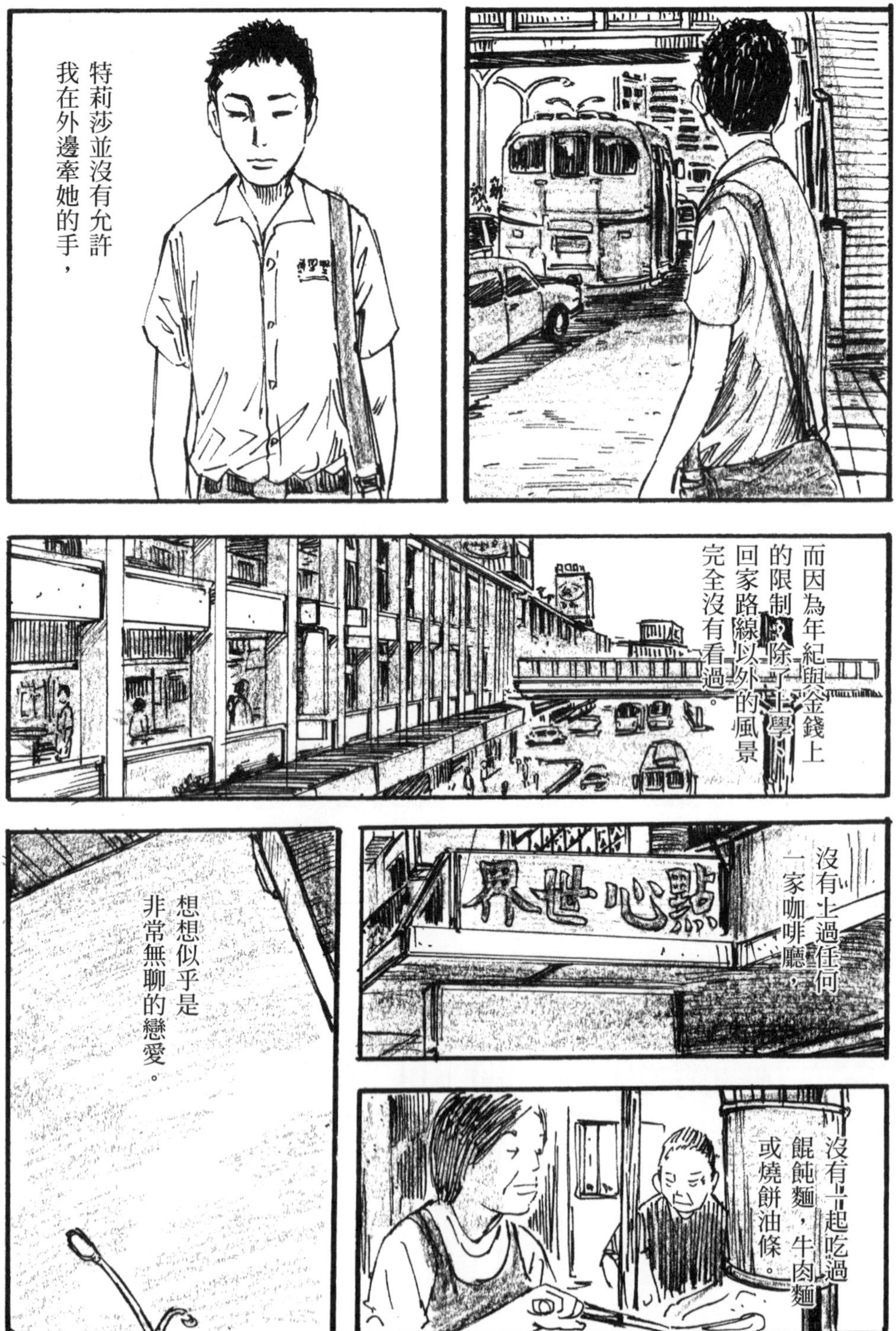
特莉莎並沒有允許
我在外邊牽她的手，
而因為年紀與金錢上
的限制，除了上學、
回家路線以外的風景
完全沒有看過。
點心世界
沒有上過任何
一家咖啡廳，
沒有一起吃過
餛飩麵，牛肉麵
或燒餅油條。
想想似乎是
非常無聊的戀愛。

啾！
啾！
早，去買菜呀？
是啊。
喀！
喀！

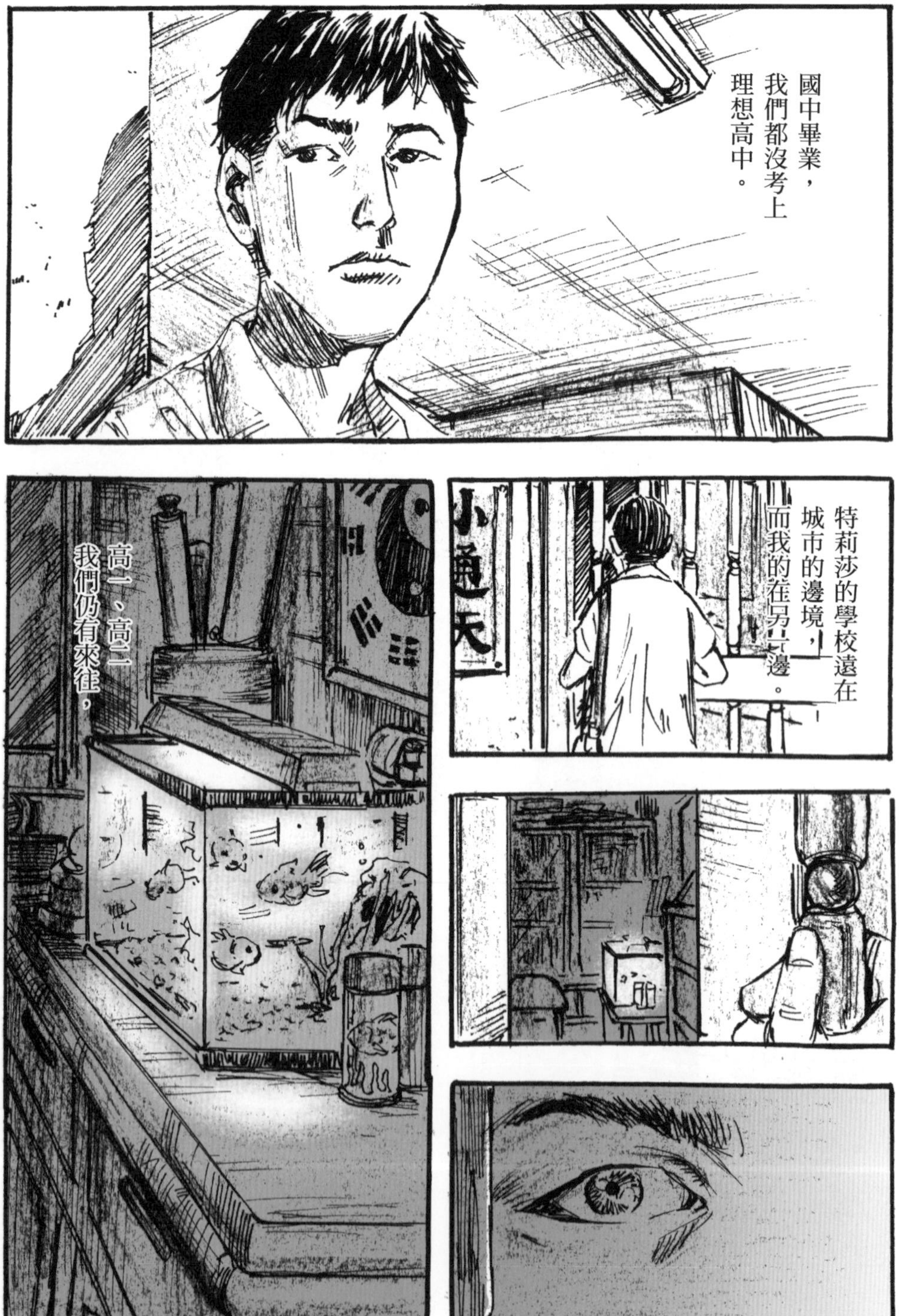
國中畢業，
我們都沒考上
理想高中。
特莉莎的學校遠在
城市的邊境，
而我的在另一邊。
高一、高二
我們仍有來往，

直到要升高三的那個暑假，

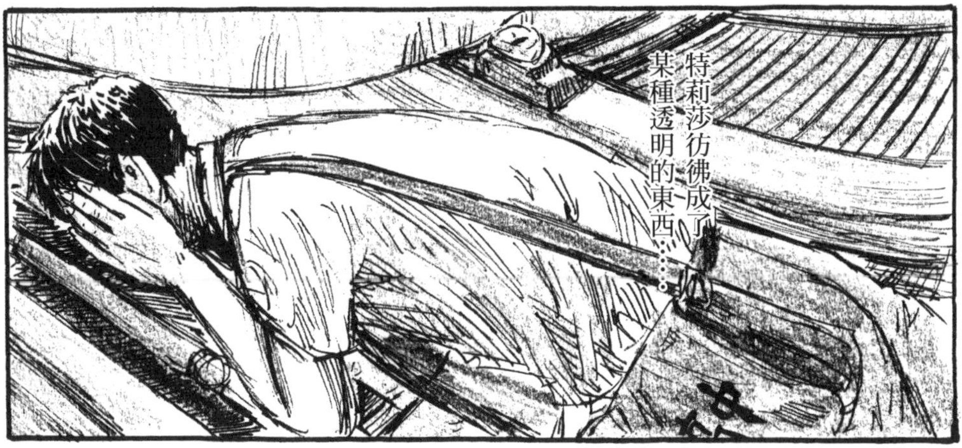
特莉莎彷彿成了某種透明的東西……

消失在商場了。
怎麼不拿好咧？
嗚嗚嗚。

National
別哭、別哭，我再做一個給你。

呼呼！
嗯呼！
呼！
呼！
呼呼！
呼！
呼呼！
呼！

嘩啦～
我覺得你心裡有事……
嘩啦～
嘩啦～
嘩啦～
沒啊，可能工作累吧。
離開前可以幫我餵魚嗎？
嗯。
波！
波！
嘩啦～

噠！
噠！
噠！
噠！
嚓！
噠！
噠！
噠！
噠！

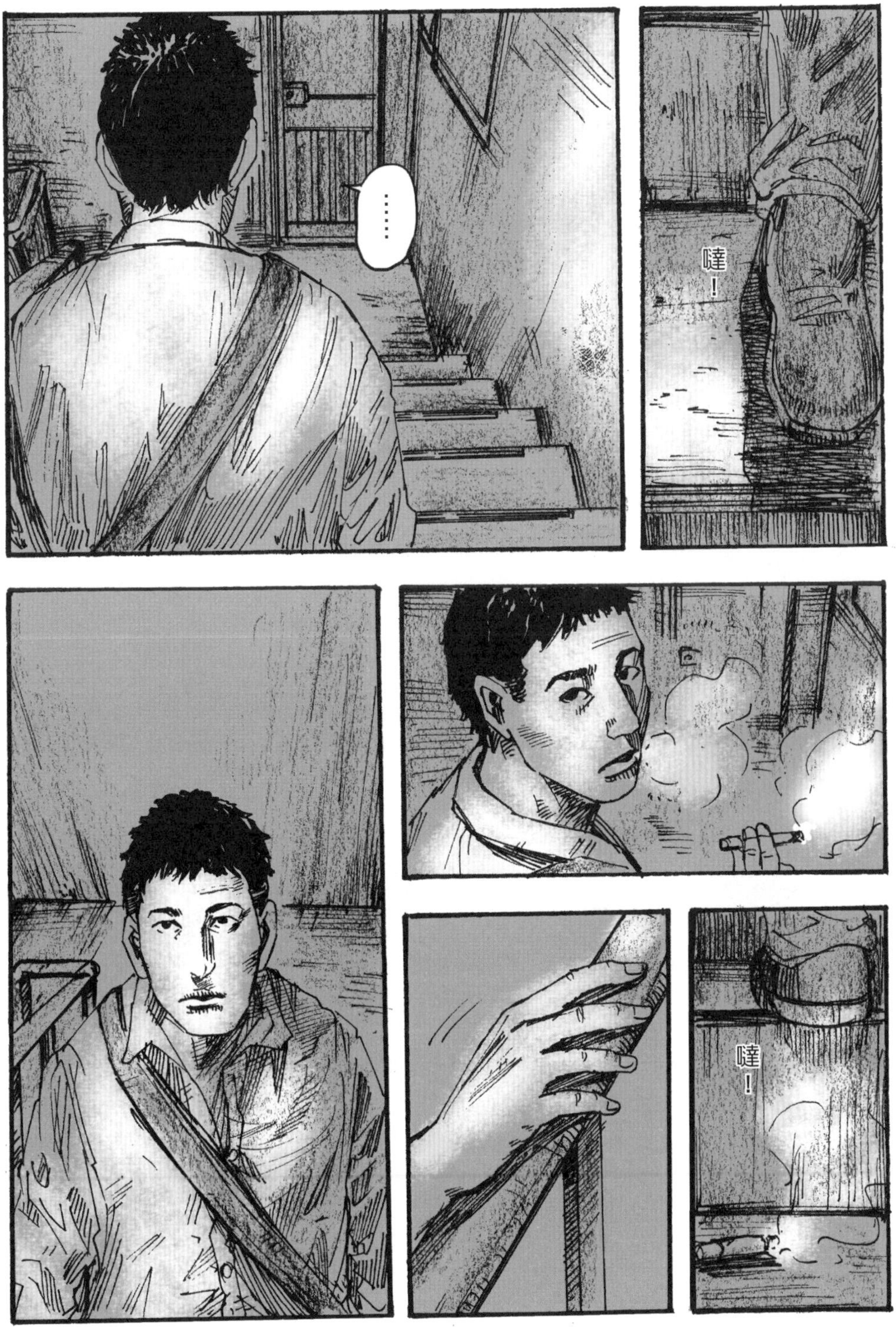
……
噠！
噠！

我沒料到還能遇上特莉莎。
百合是她的姊姊，她不是在這裡上班。

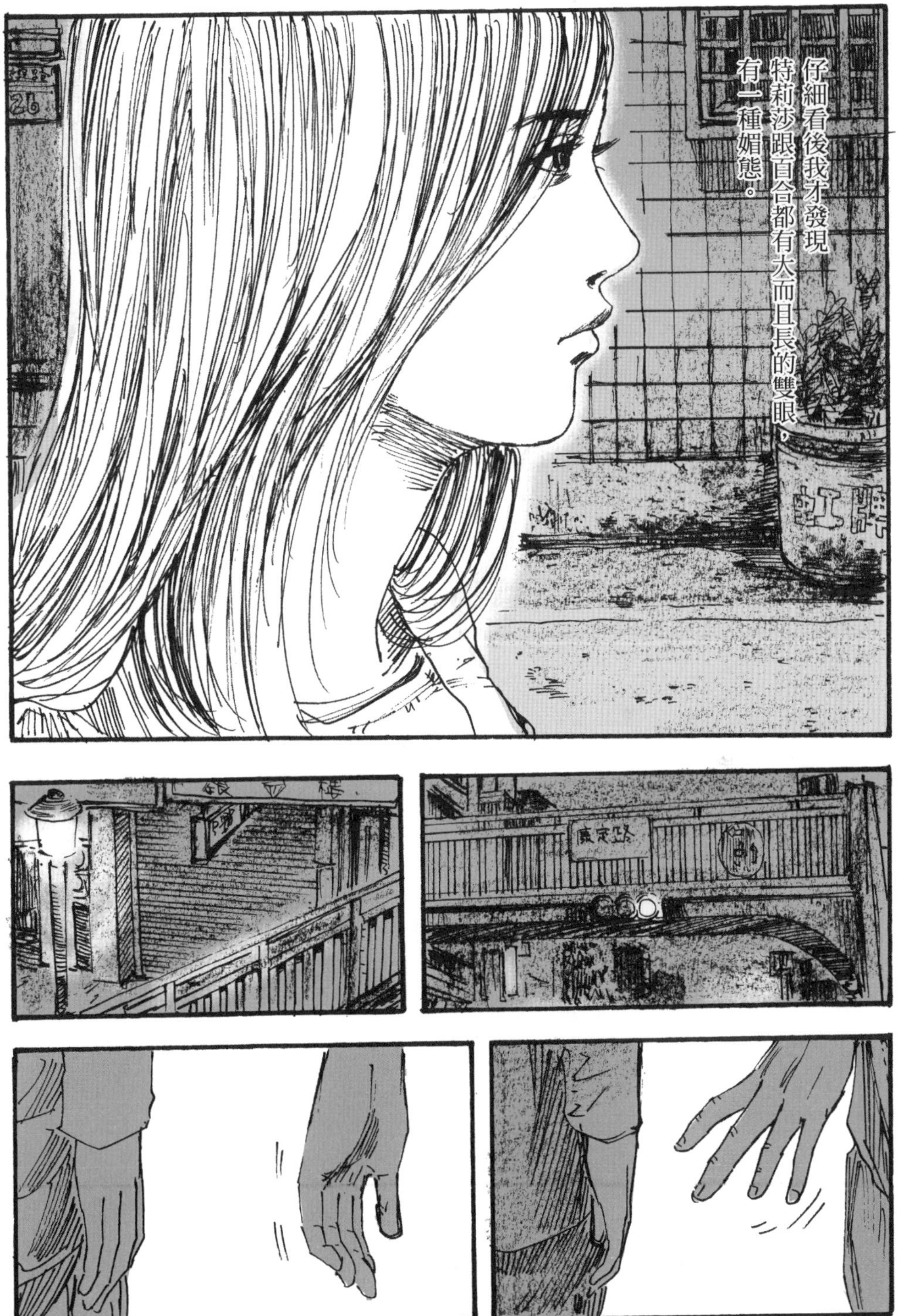
仔細看後我才發現
特莉莎跟百合都有大而且長的雙眼，
有一種媚態。
26
虹牌

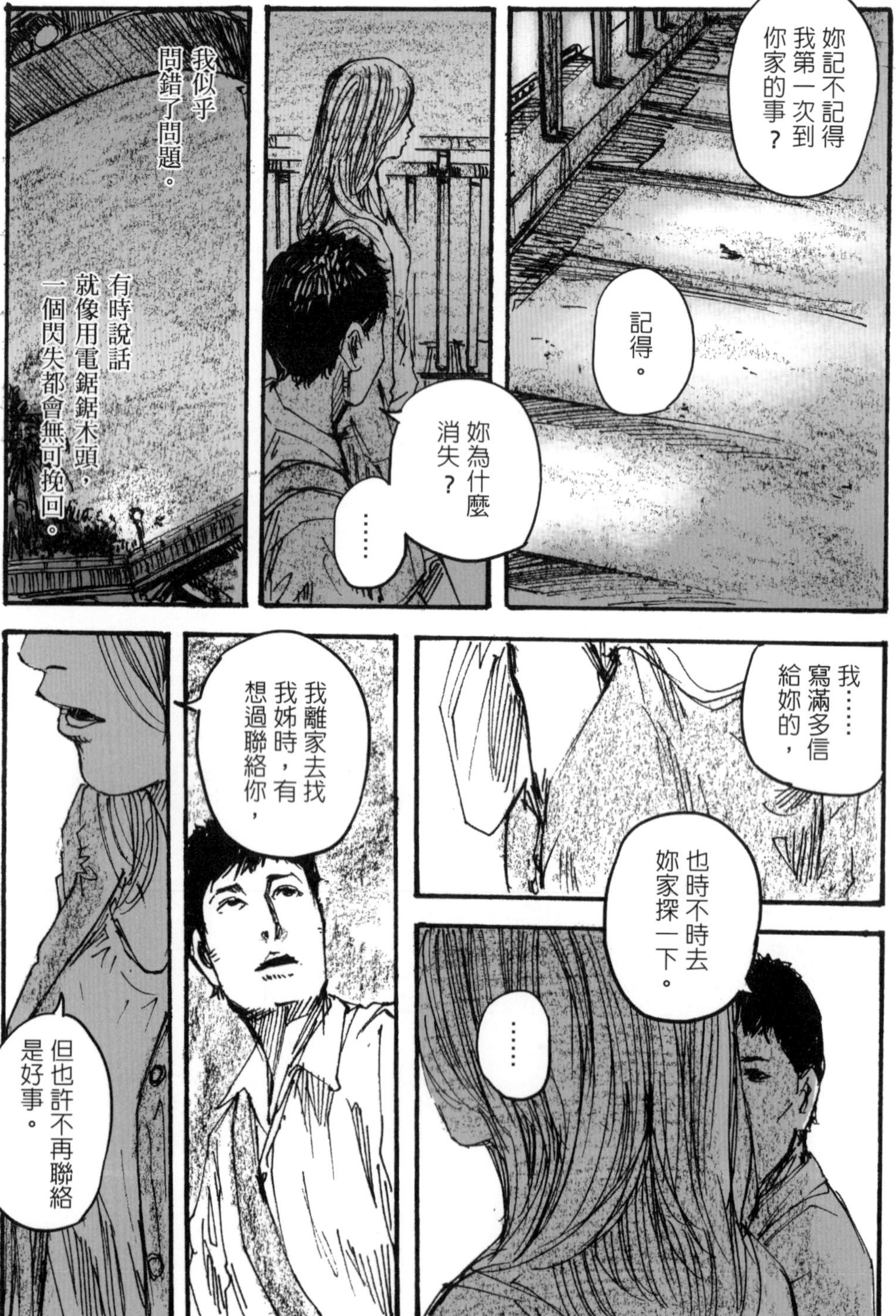
妳記不記得我第一次到你家的事？
記得。
妳為什麼消失？
……
我似乎問錯了問題。
有時說話就像用電鋸鋸木頭，一個閃失都會無可挽回。
我……寫滿多信給妳的，
也時不時去妳家探一下。
……
我離家去找我姊時，有想過聯絡你，
但也許不再聯絡是好事。

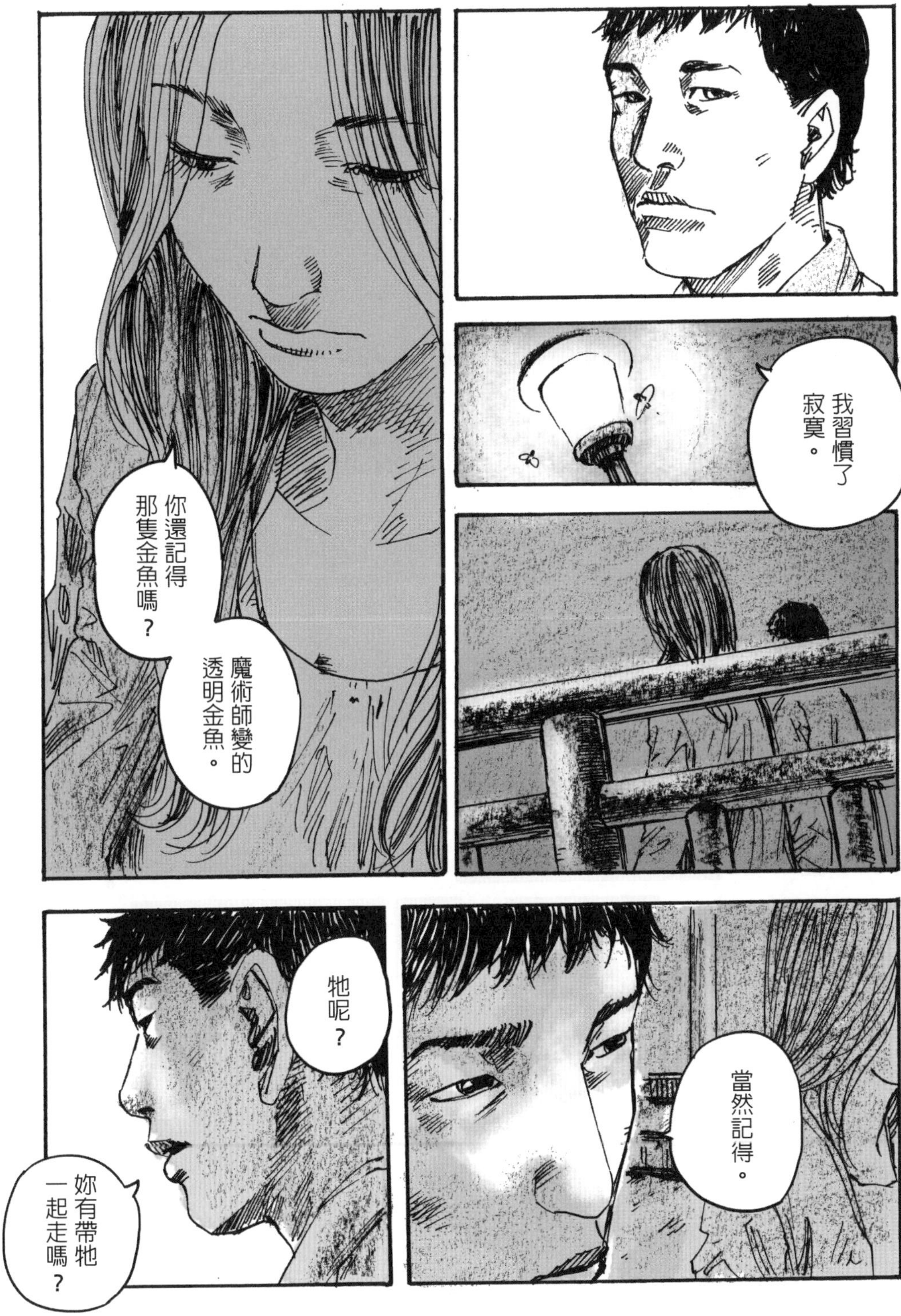
我習慣了寂寞。
你還記得那隻金魚嗎？
魔術師變的透明金魚。
當然記得。
牠呢？
妳有帶牠一起走嗎？

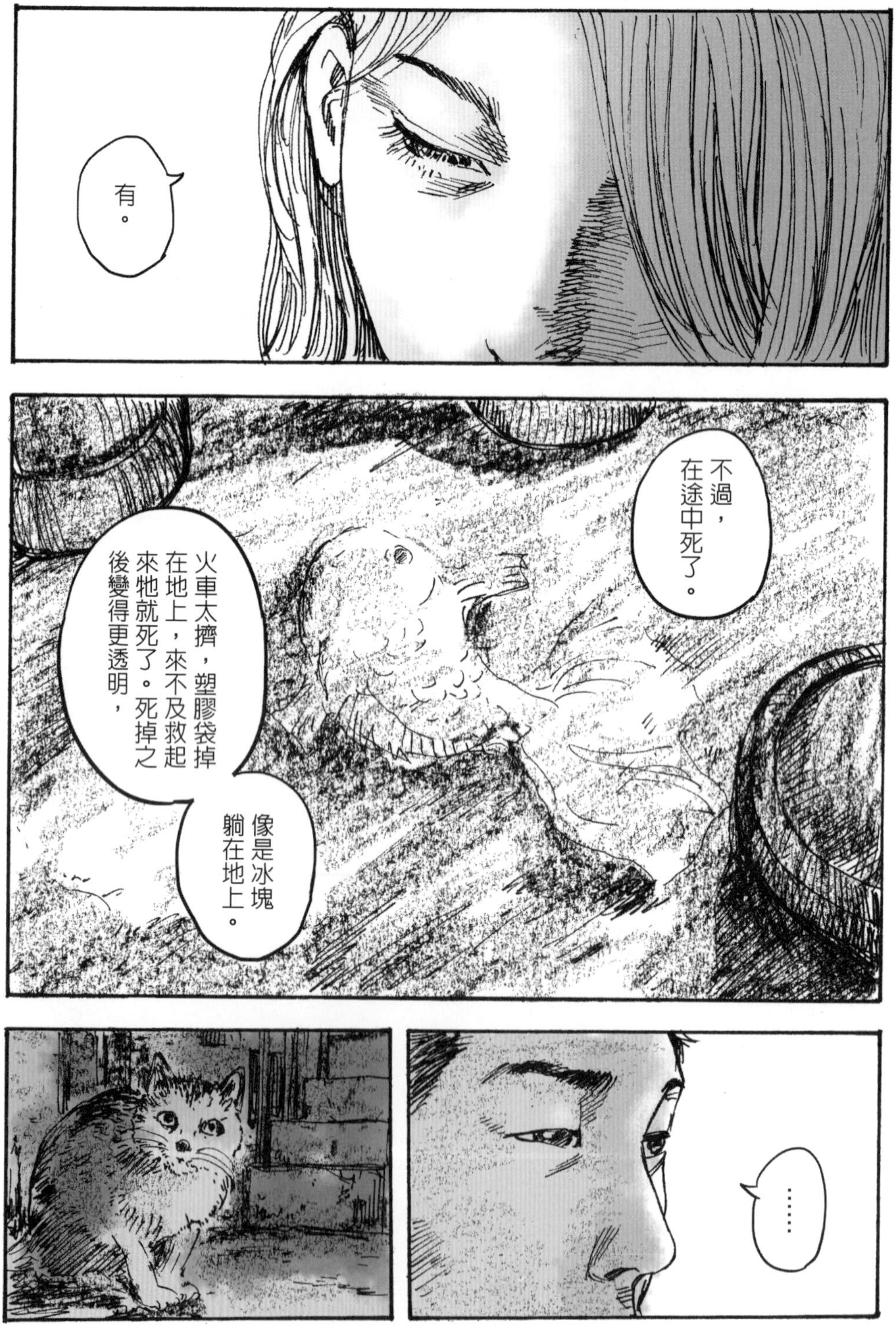
有。
不過，在途中死了。
火車太擠，塑膠袋掉在地上，來不及救起來牠就死了。死掉之後變得更透明，
像是冰塊躺在地上。
……

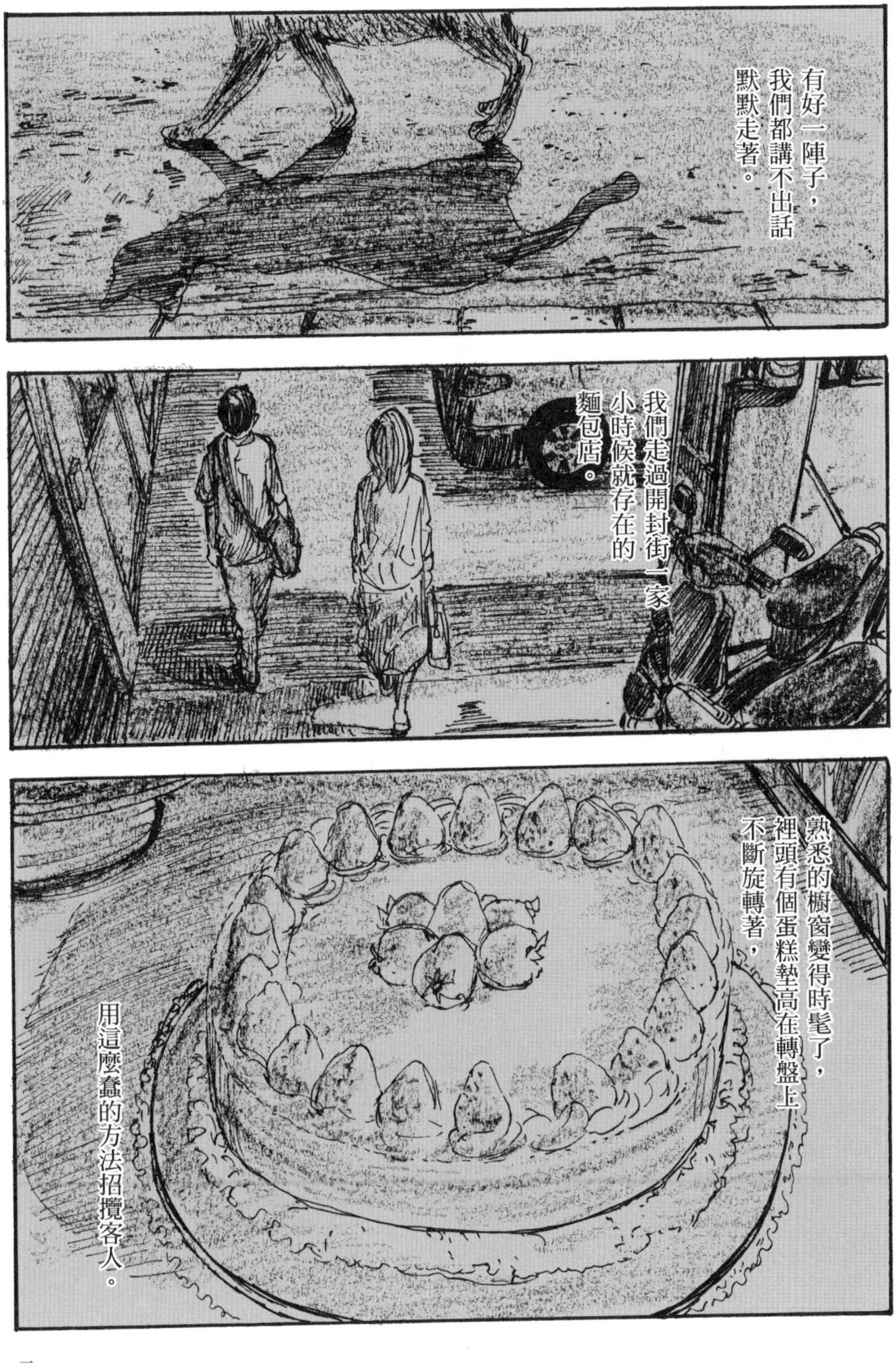
有好一陣子，
我們都講不出話
默默走著。
我們走過開封街一家
小時候就存在的
麵包店。
熟悉的櫥窗變得時髦了，
裡頭有個蛋糕墊高在轉盤上
不斷旋轉著，
用這麼蠢的方法招攬客人。

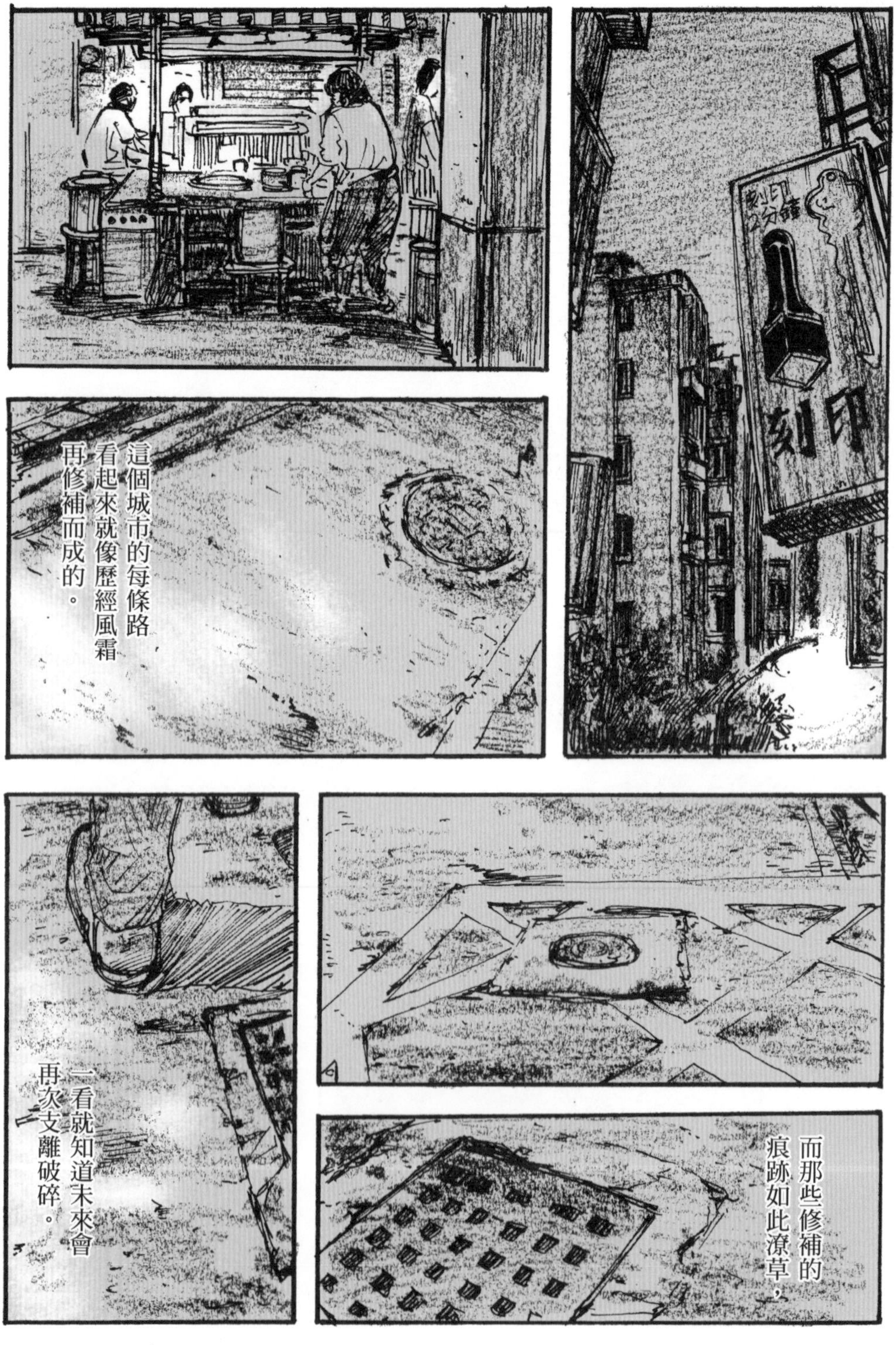
刻印
這個城市的每條路
看起來就像歷經風霜
再修補而成的。
而那些修補的
痕跡如此潦草，
一看就知道未來會
再次支離破碎。

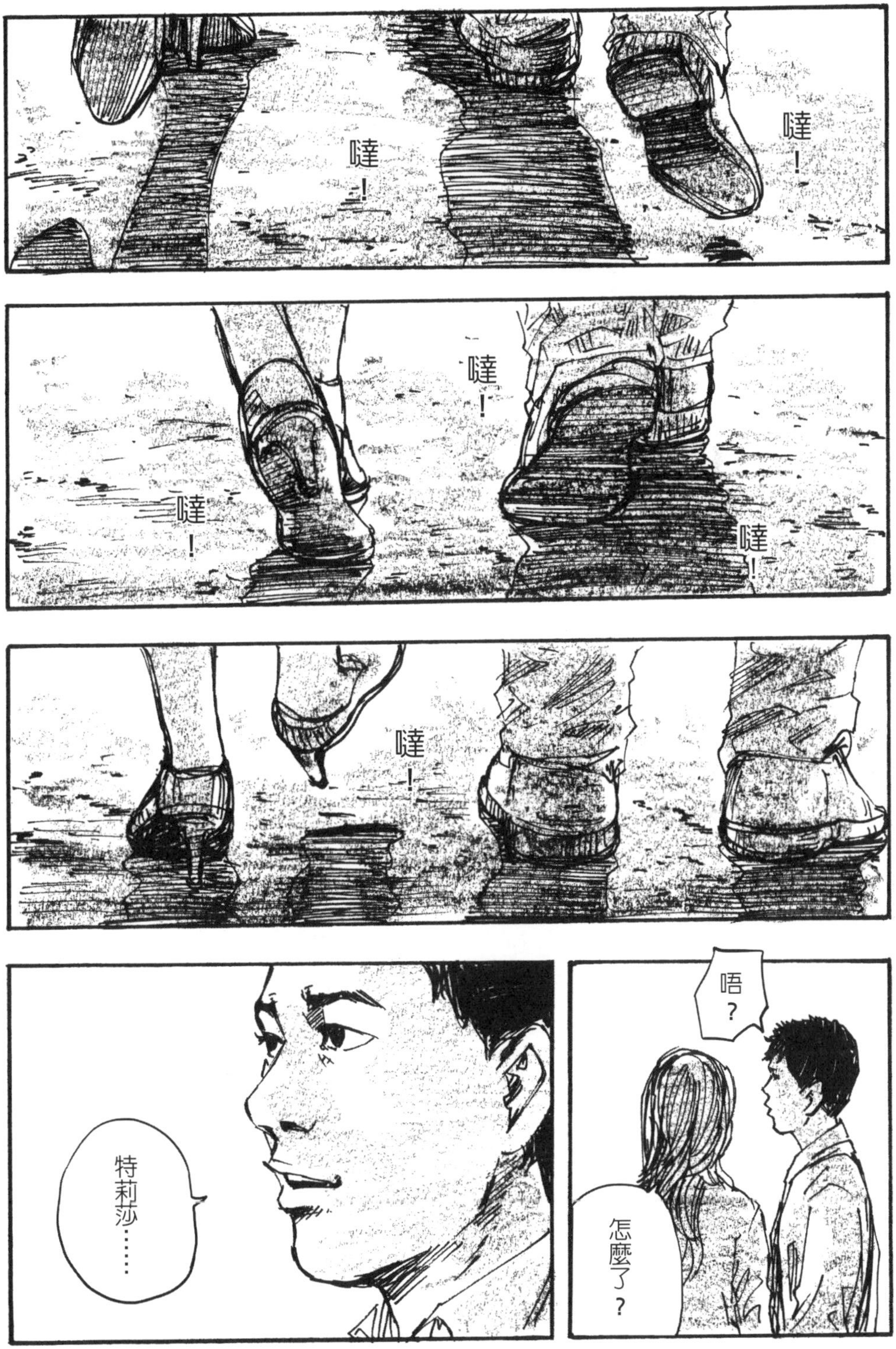

噠！
噠！
噠！
噠！
噠！
噠！
噠！
唔？
怎麼了？
特莉莎……

以前我們放學就是走過這裡的平交道，
一起回家。

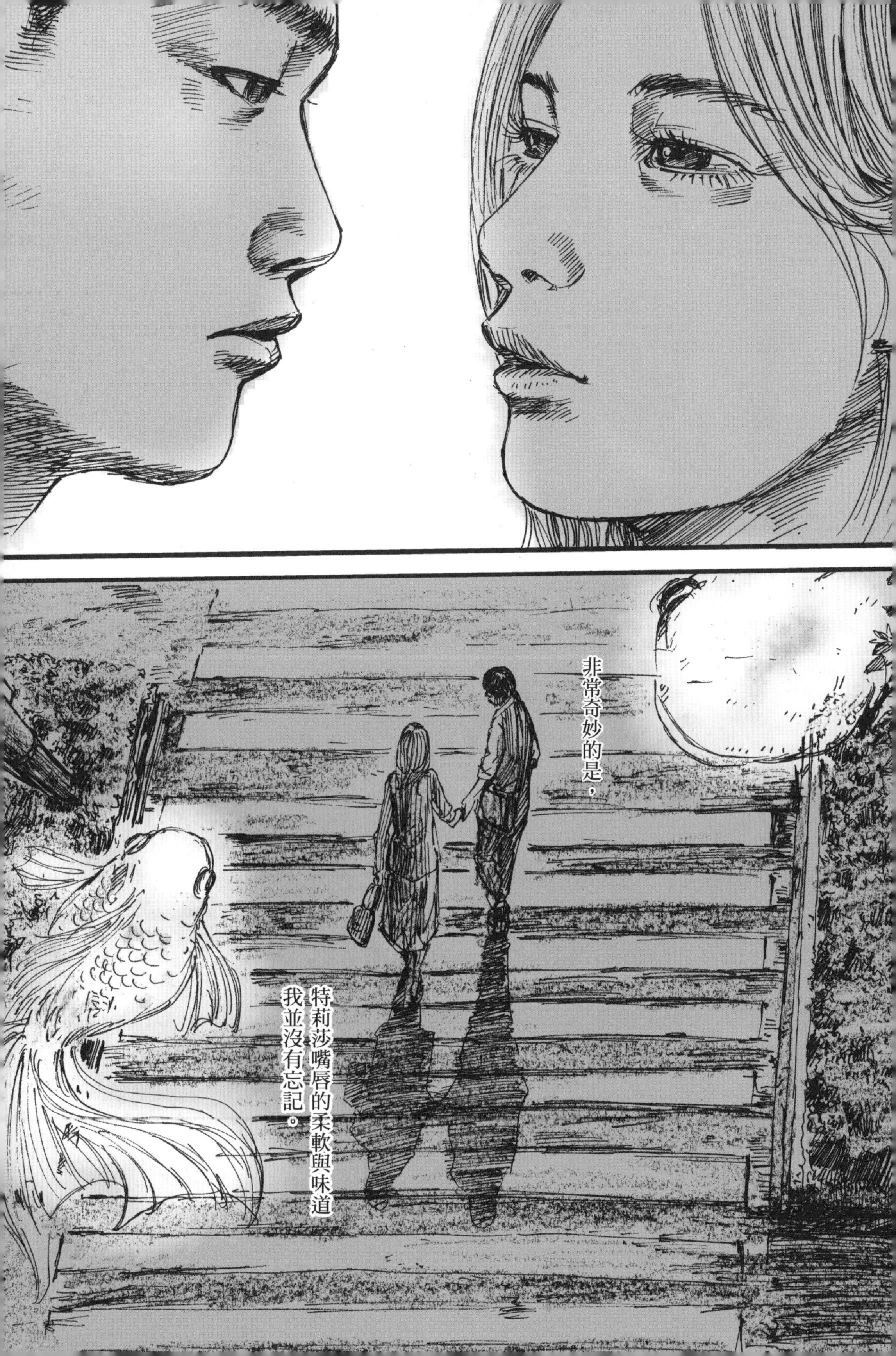
非常奇妙的是，
特莉莎嘴唇的柔軟與味道
我並沒有忘記。

E217
E217

在我無聊、混亂的人生裡頭
總算還留下了這樣一件，

即使冰塊融化了，
還以水的形式存在的東西。

一頭大象在日光朦朧的街道

某種意義上，我成了隱形人。

喀
那天早上，
我離開烏鴉的家。

我知道，
我們不會再見面了。

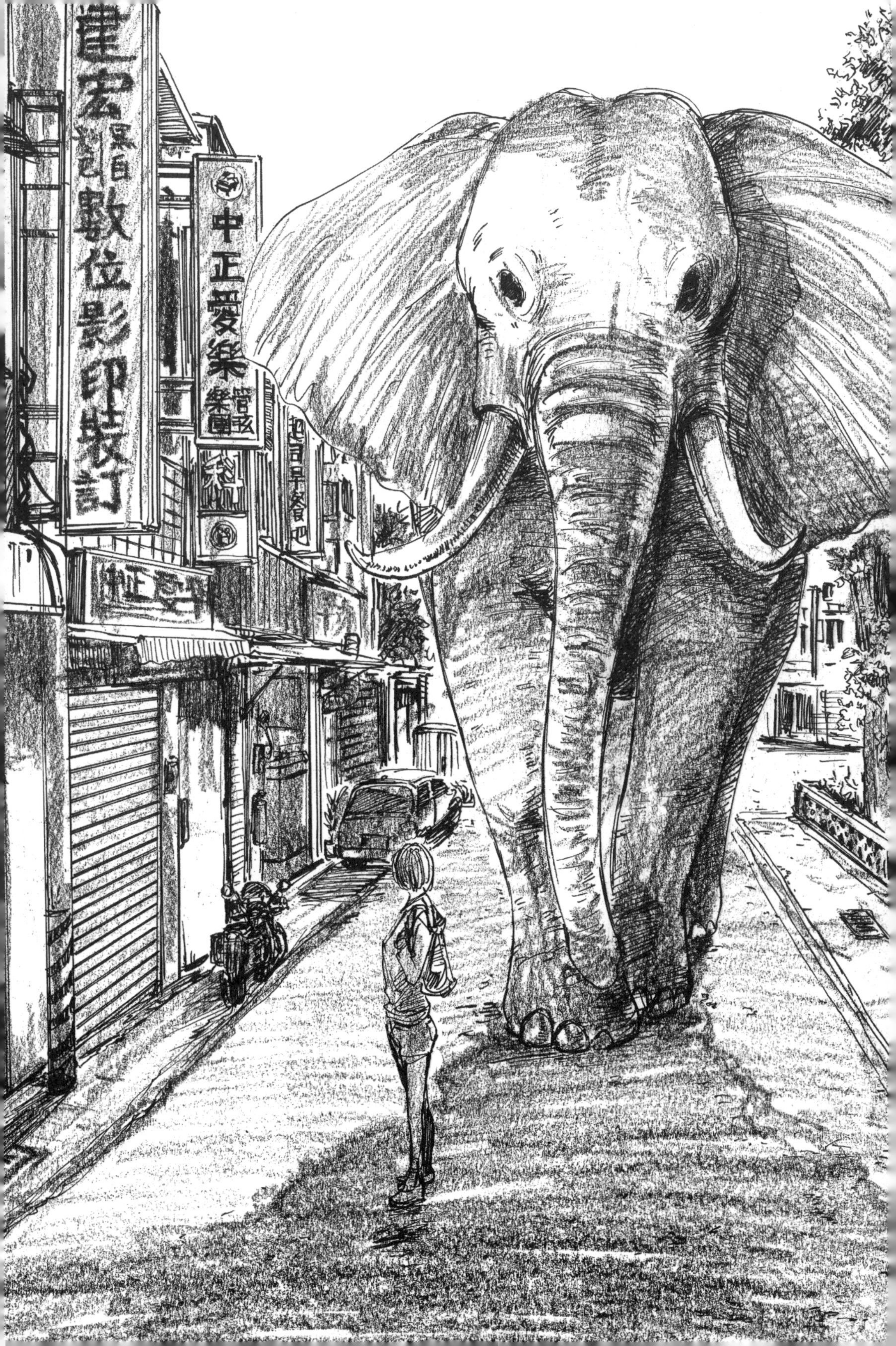
建宏
數位影印裝訂
中正愛樂
管弦樂團
起司早餐吧

二〇二

你好……
妳好，我叫烏鴉。
挪威的森林

和烏鴉戀愛，
是我一輩子都想不到的事。
我們的個性，就像
蜻蜓跟蟬的血緣關係那樣。

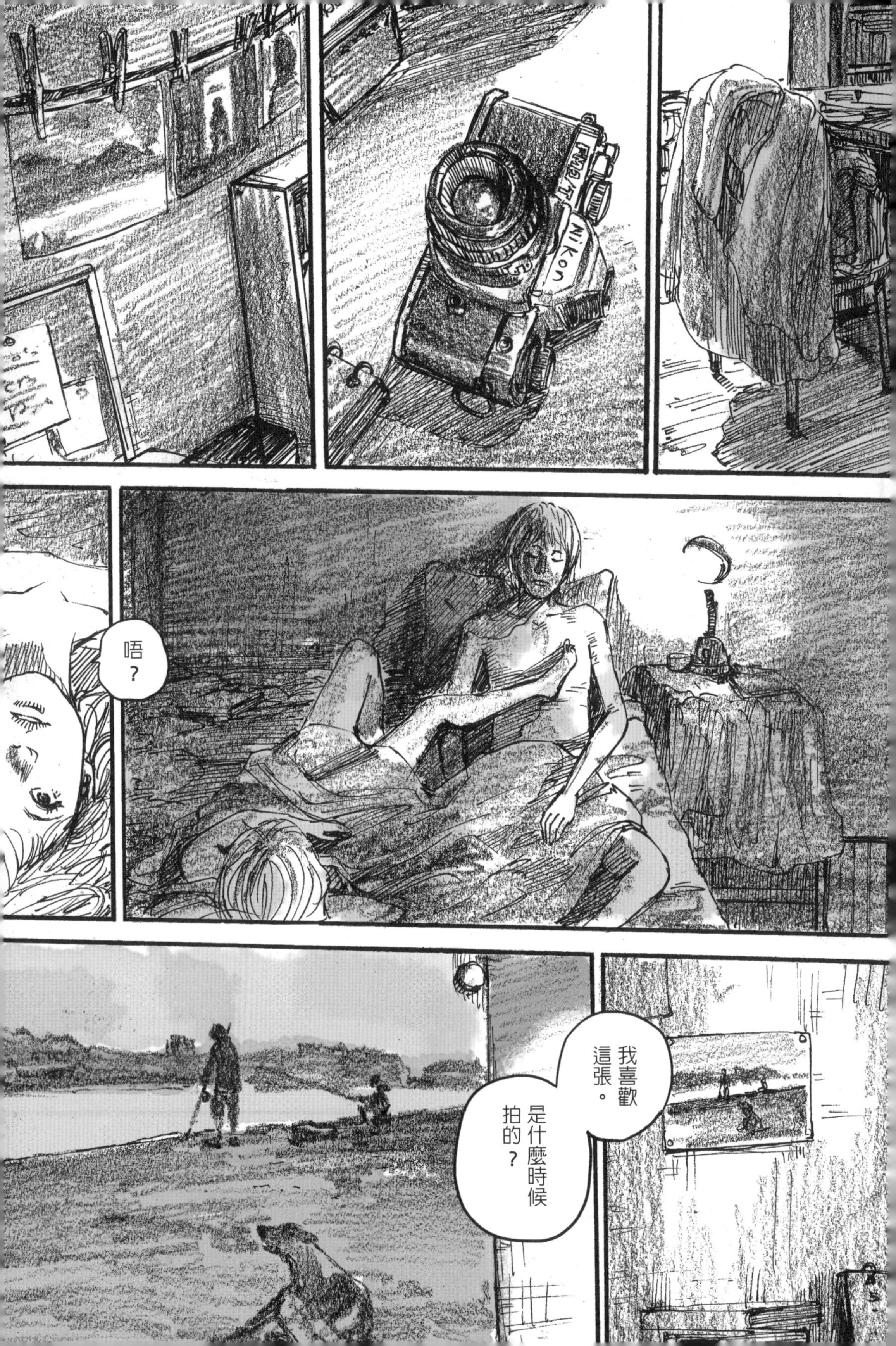
唔？
我喜歡這張。
是什麼時候拍的？

那是我第一張沖洗的照片作業。題目叫「三個暗示」。
從淡水這頭往八里拍的。
可以借我一件衣服換嗎？
衣櫥打開，門邊有件襯衫。
喀啦！

照相館
有一年夏天，
我和死黨老朱、阿強、阿澤
去應徵一家照相館的臨時工。
穿著大象裝發氣球，
一天六小時，我跟老朱分兩班。

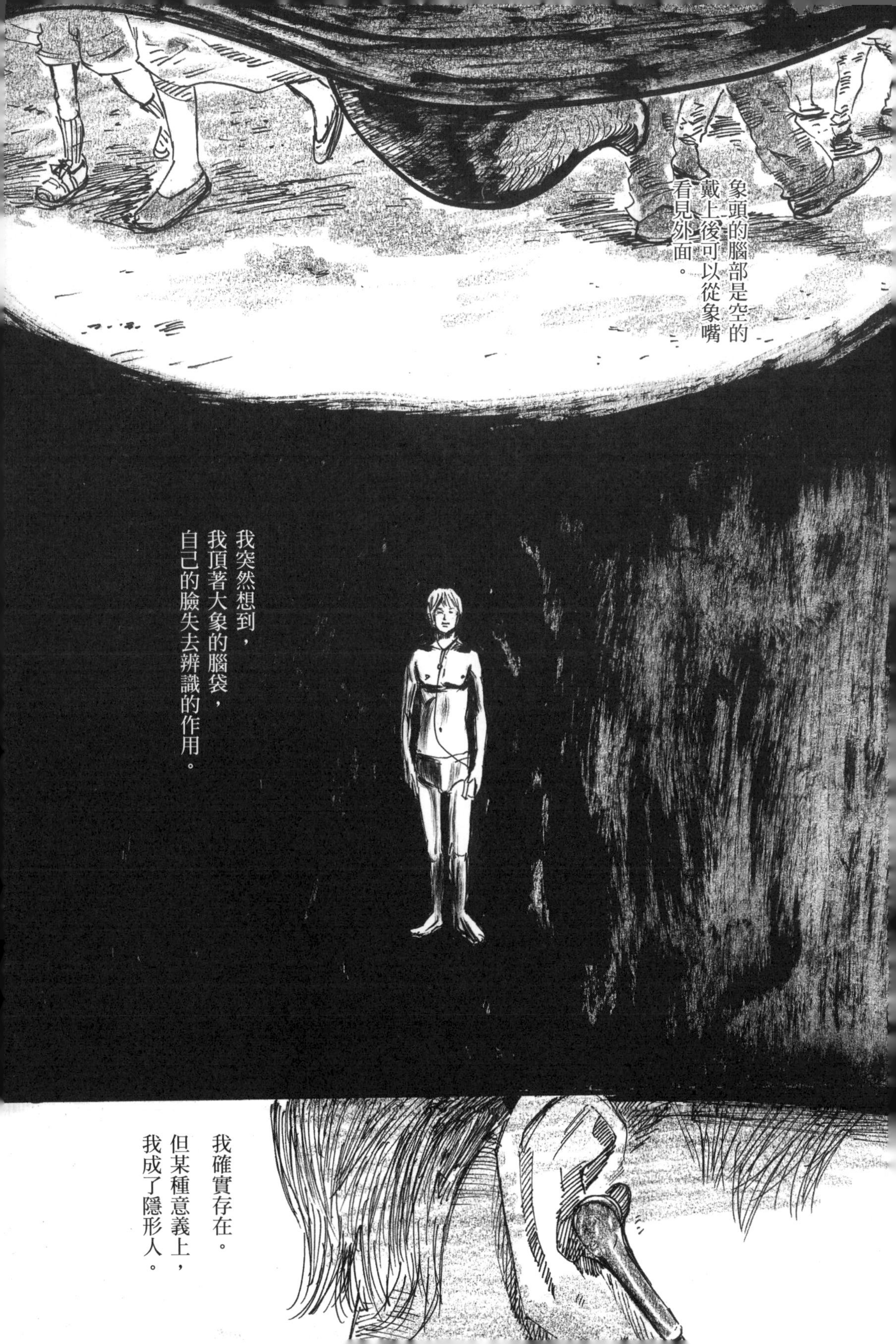
象頭的腦部是空的
戴上後可以從象嘴
看見外面。
我突然想到，
我頂著大象的腦袋，
自己的臉失去辨識的作用。
我確實存在。
但某種意義上，
我成了隱形人。

改褲長
改褲頭
換拉鍊
?

許嘉祺別玩了。
幫我把改好的衣服送去西裝店。
吼，妳叫哥去啦，每次都是我。
你哥去西門町叫你爸了。快去！
請上三樓
每次都是我……
他只比我早生一分鐘耶！
他一定又跟阿蓋他們去玩向前衝。
不然就是去看魔術。

或許是大象頭裡布的味道，我想起我媽。
彩球
媽的，都是你的汗，
早知道我就選早班。
幹！錢有夠難賺。
我先走囉。

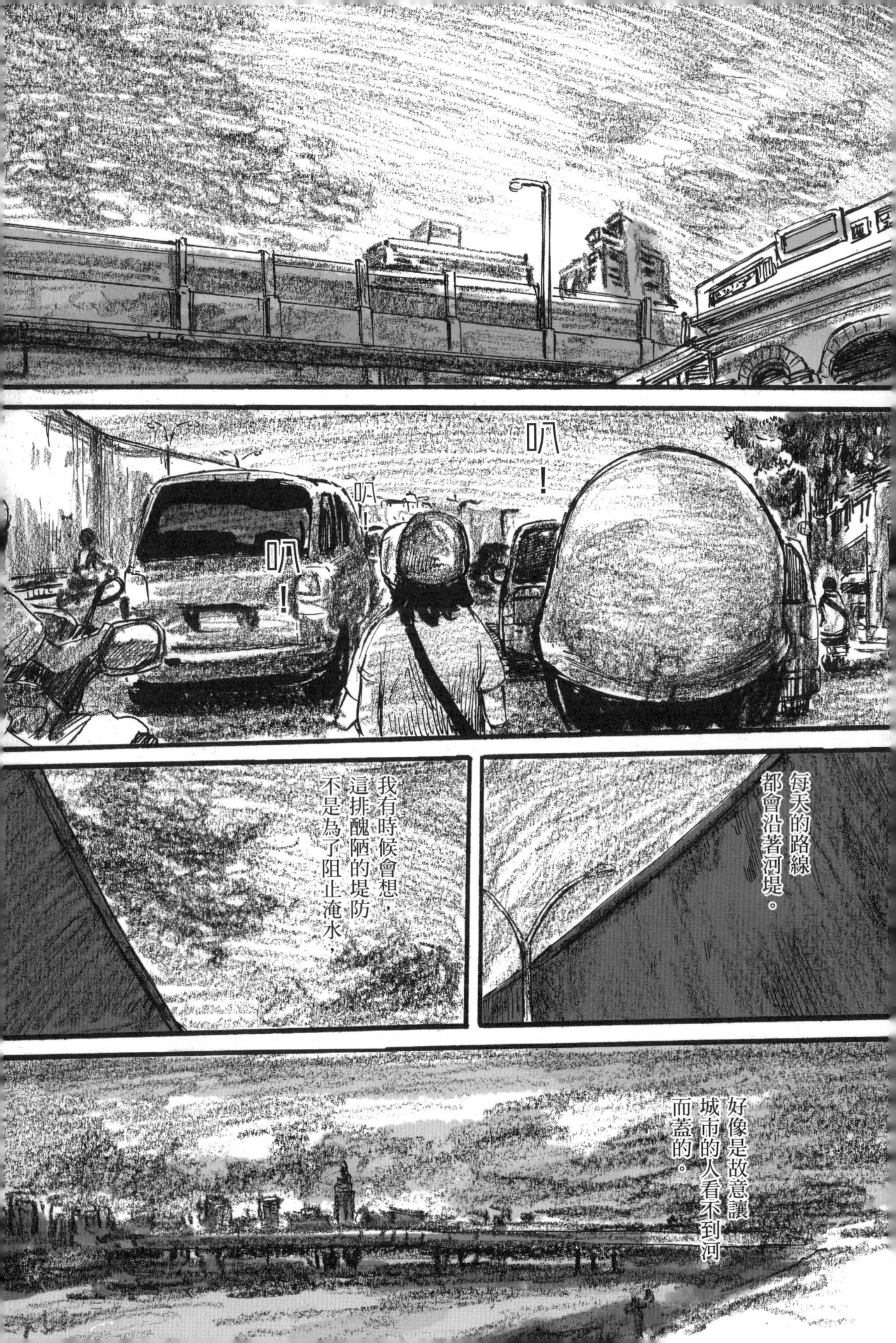
叭！
叭！
叭！
每天的路線
都會沿著河堤。
我有時候會想，
這排醜陋的堤防
不是為了阻止淹水，
好像是故意讓
城市的人看不到河
而蓋的。

喀！
沙！
嘉祺。

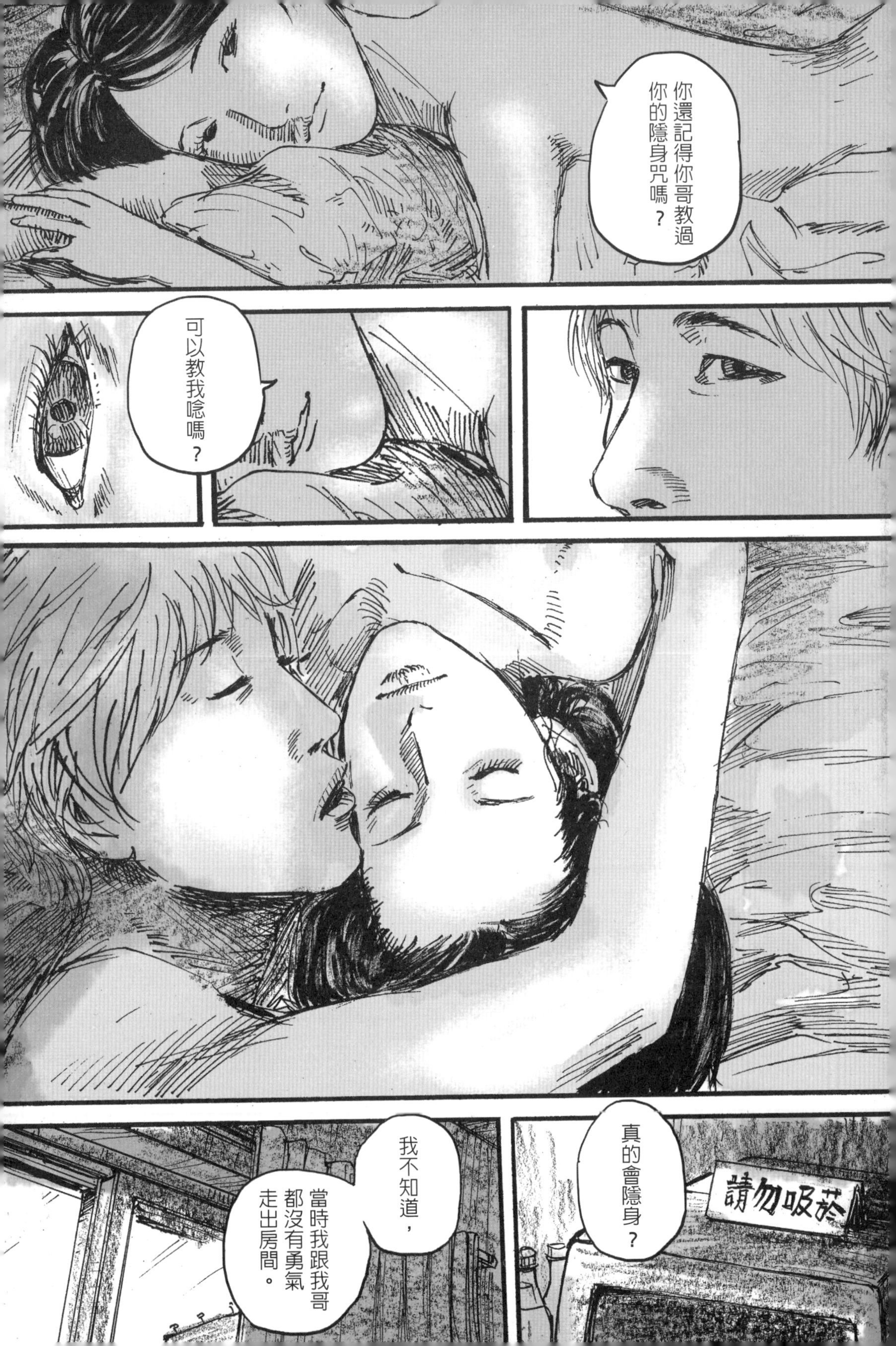
你還記得你哥教過你的隱身咒嗎？
可以教我唸嗎？
真的會隱身？
請勿吸菸
我不知道，當時我跟我哥都沒有勇氣走出房間。

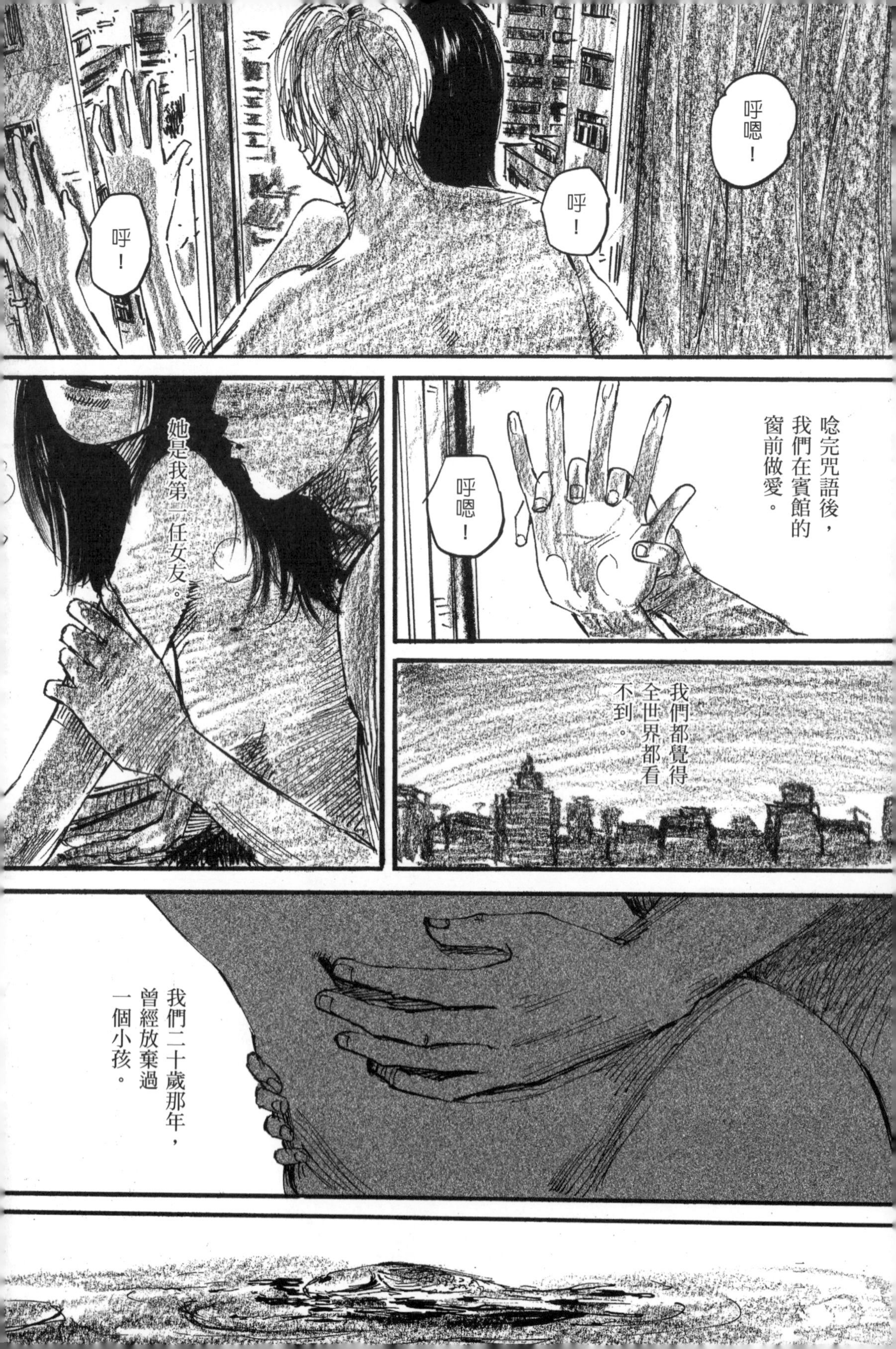
呼嗯！
呼！
呼！
唸完咒語後，我們在賓館的窗前做愛。
呼嗯！
我們都覺得全世界都看不到。
她是我第一任女友。
我們二十歲那年，曾經放棄過一個小孩。

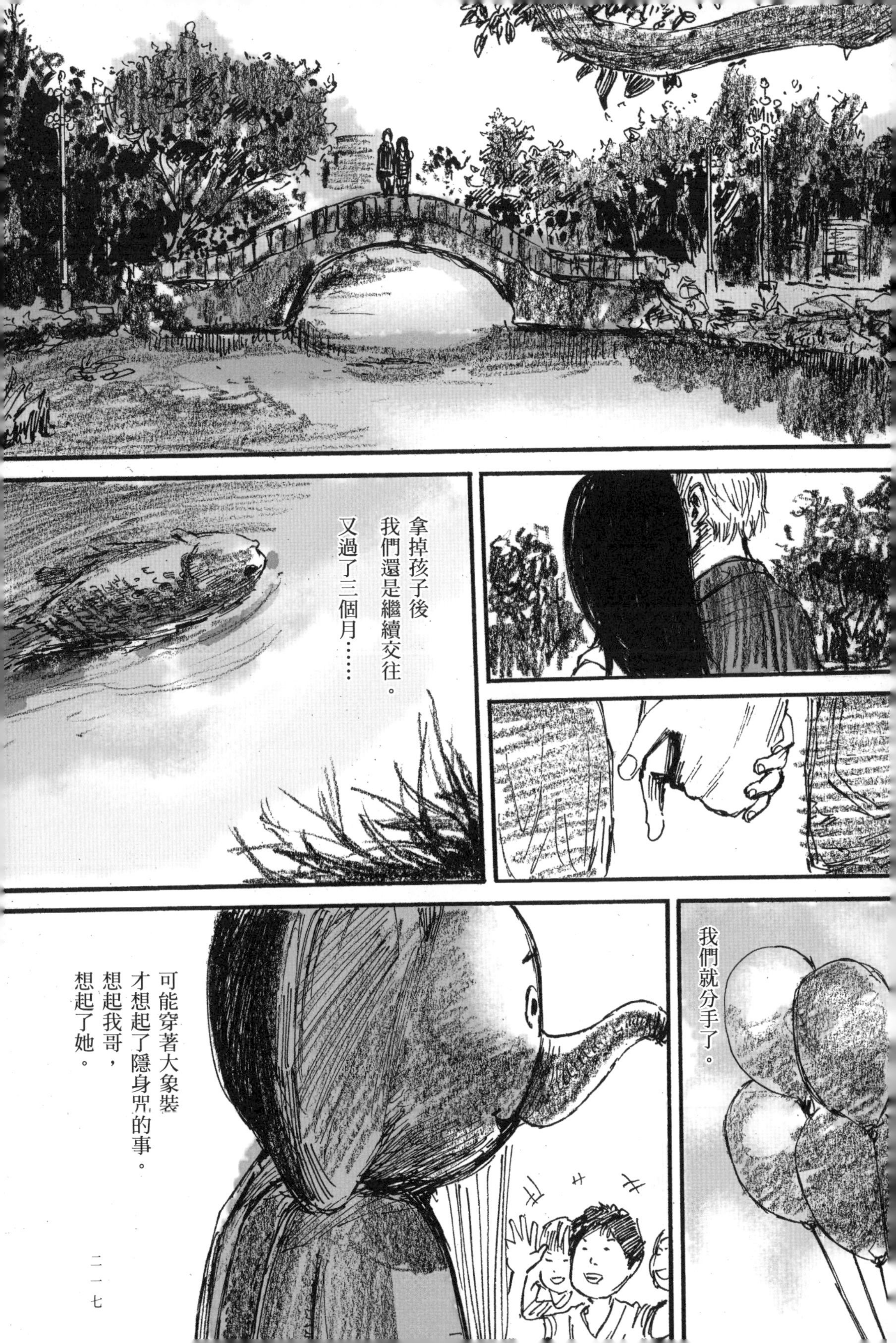
拿掉孩子後
我們還是繼續交往。
又過了三個月……
我們就分手了。
可能穿著大象裝
才想起了隱身咒的事。
想起我哥，
想起了她。

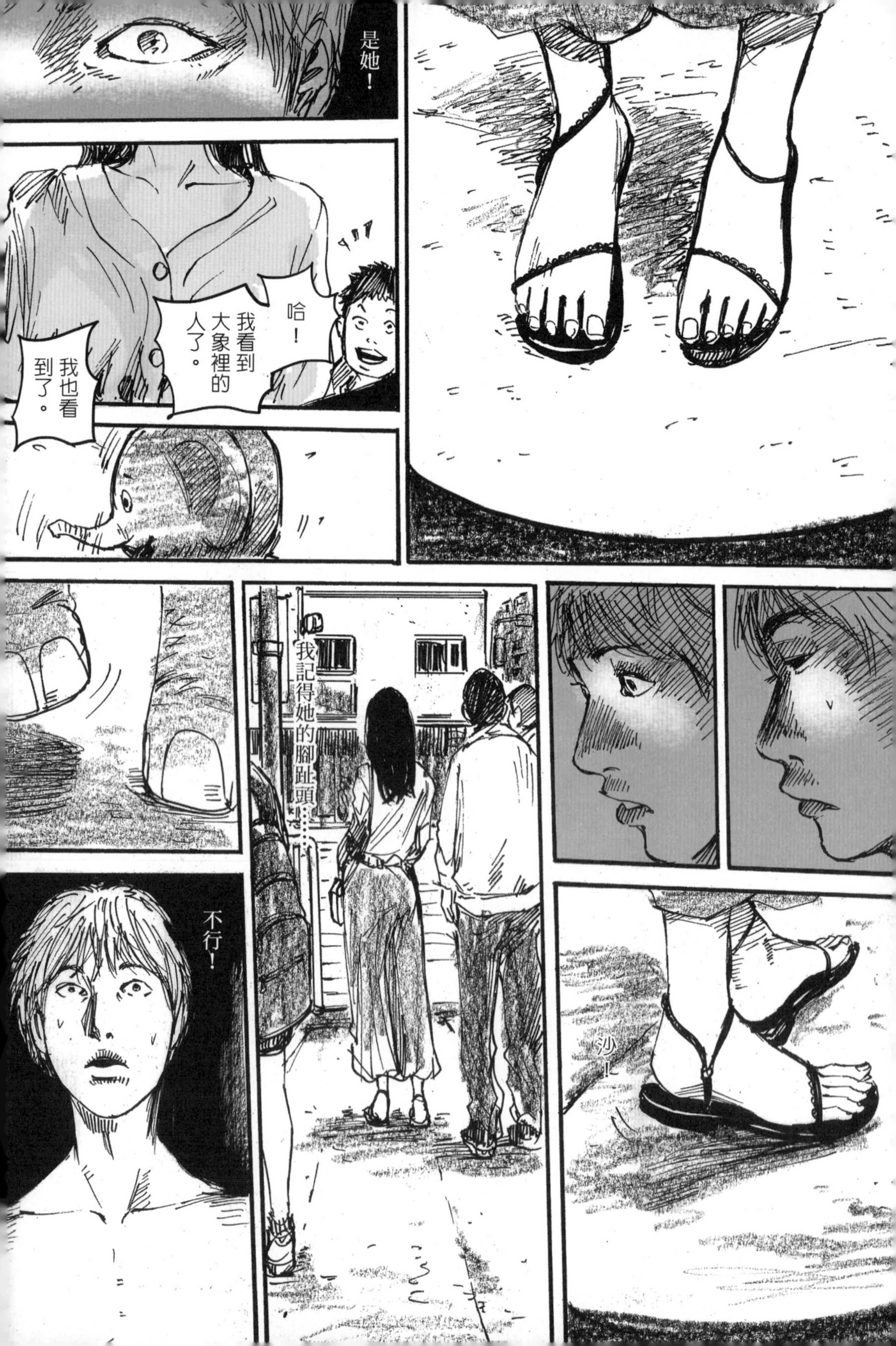
是她！
哈！
我看到大象裡的人了。
我也看到了。
我記得她的腳趾頭……
不行！
沙！

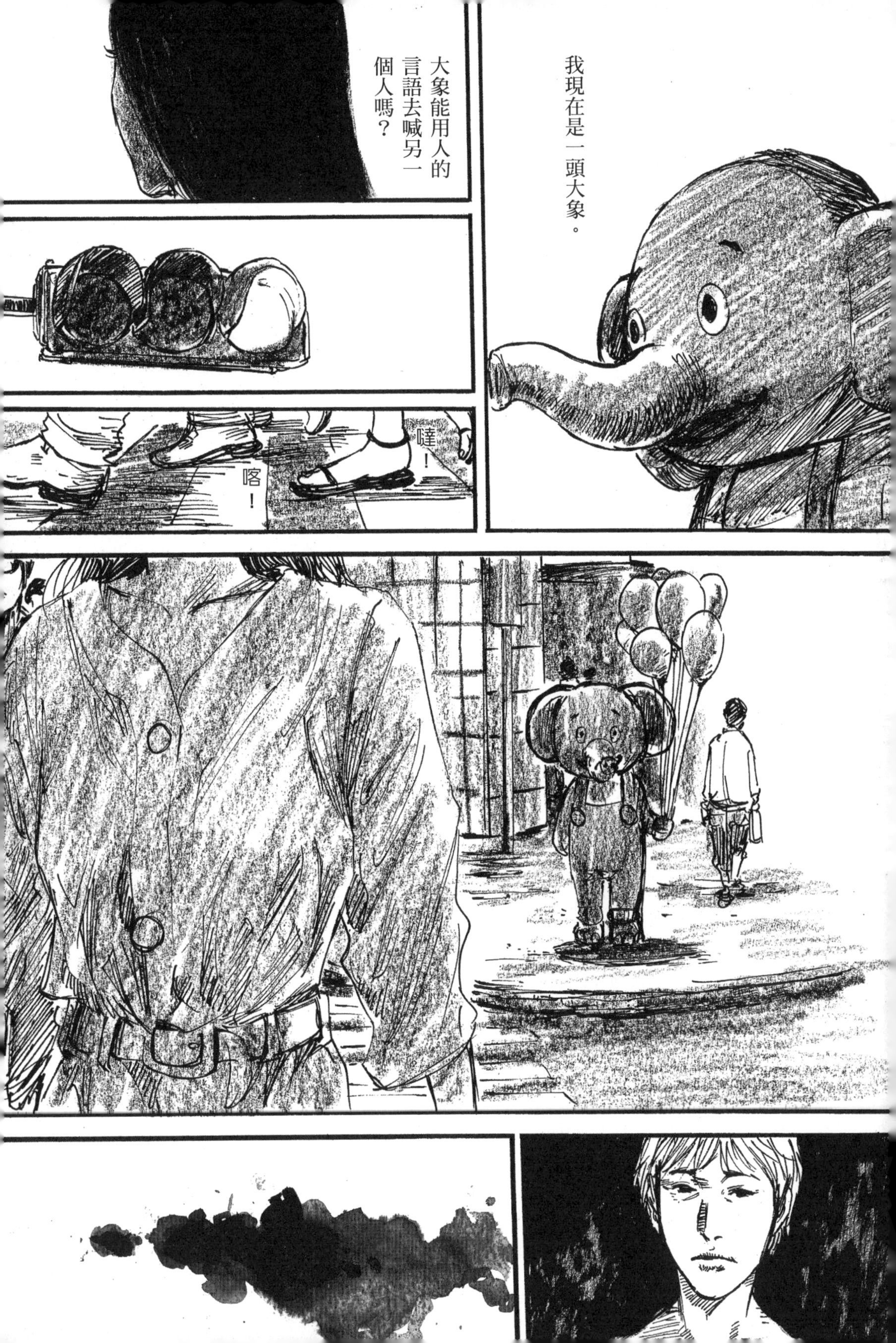
我現在是一頭大象。
大象能用人的言語去喊另一個人嗎？
噠！
喀！

接下來的一段時間，
我總是在扮演大象的時候
遇到遙遠的記憶。

比如因為珠算
深深傷害我的
數學老師。

高中時暗戀的
那位台北商專的女生。

小學時
天橋上那位潦倒
的魔術師……

我從來不知道自己
記得那麼多細碎得像
剪掉又長出來的頭髮
的事。

你從來不知道它們
原來躲在哪裡。

沒蓋你，第二家的鞋真的很便宜。
去看電影？
……
我還要補習。
你在發什麼呆！
你不是說要去看魔術？走了啦！
哥……

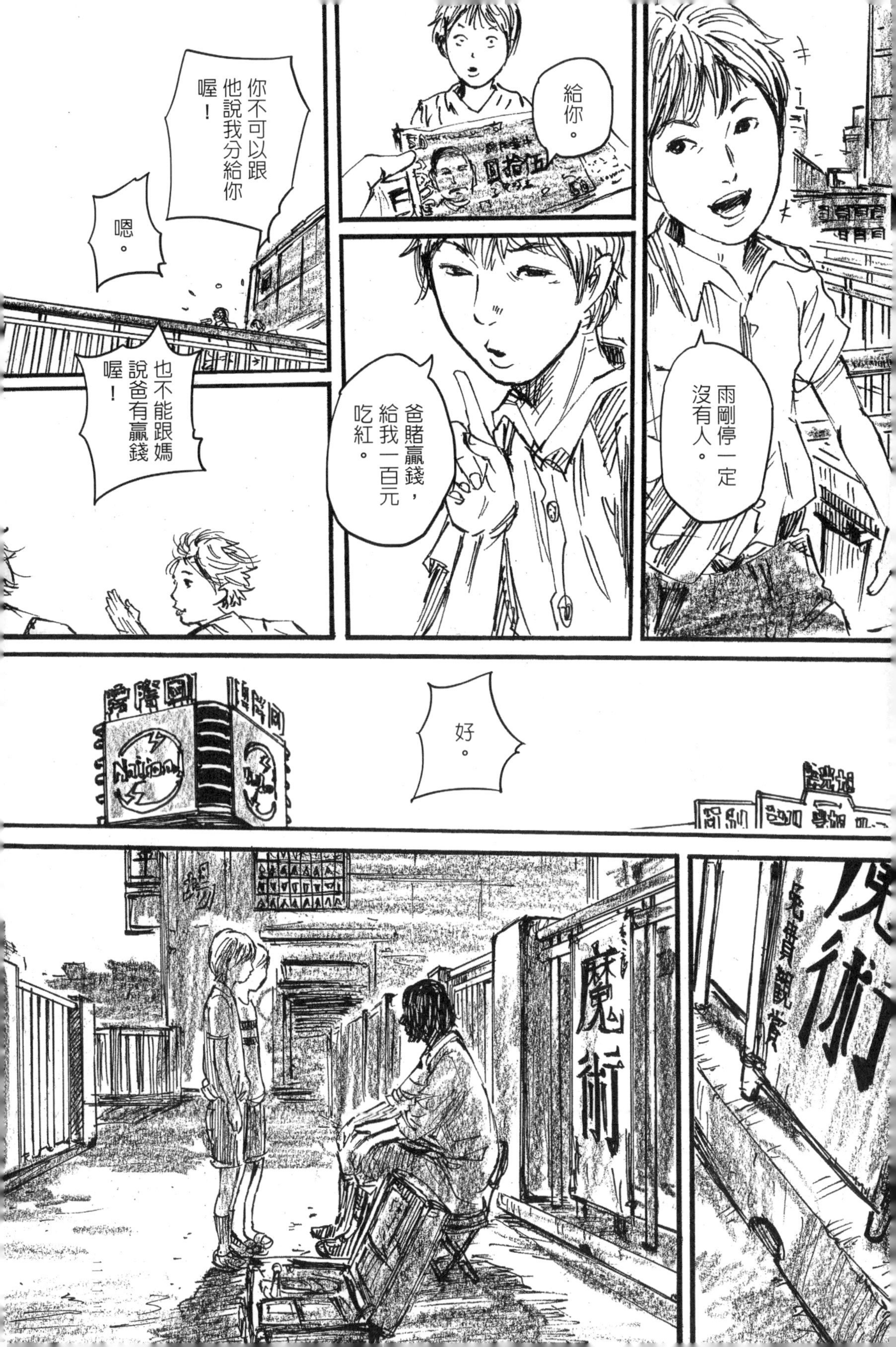
雨剛停一定沒有人。
給你。
爸賭贏錢，給我一百元吃紅。
你不可以跟他說我分給你喔！
嗯。
也不能跟媽說爸有贏錢喔！
好。
魔術
免費觀賞

……
……
你們知道嗎？
所有的雙胞胎，
都是從一個靈魂……
變成二個！
所以有時候，
透過某些方式……

我可以把你們變回一個人喔。
哥……
別怕啦，都嘛假的！
我就看你怎麼變！
好，那我說什麼你們照著做。
哥，走吧。
不要怕啦，阿蓋說他很兩光。

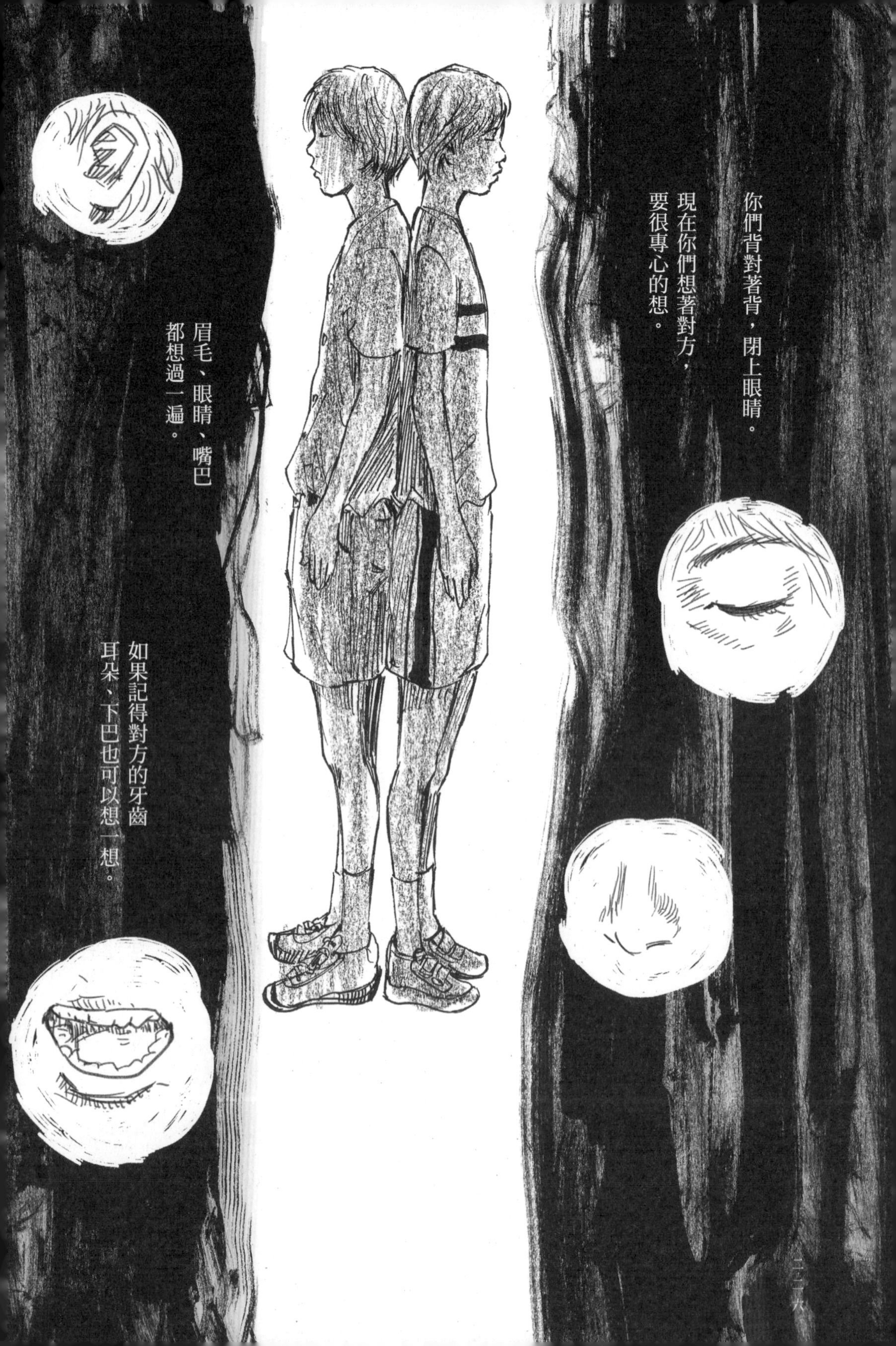
你們背對著背，閉上眼睛。
現在你們想著對方，
要很專心的想。
眉毛、眼睛、嘴巴
都想過一遍。
如果記得對方的牙齒
耳朵、下巴也可以想一想。

想得愈仔細愈好。
我數到三，
你們向後轉，
不能張開眼睛喔。
好，
我數到三睜開眼睛。
一、二、三！

嘉陽建設
公司

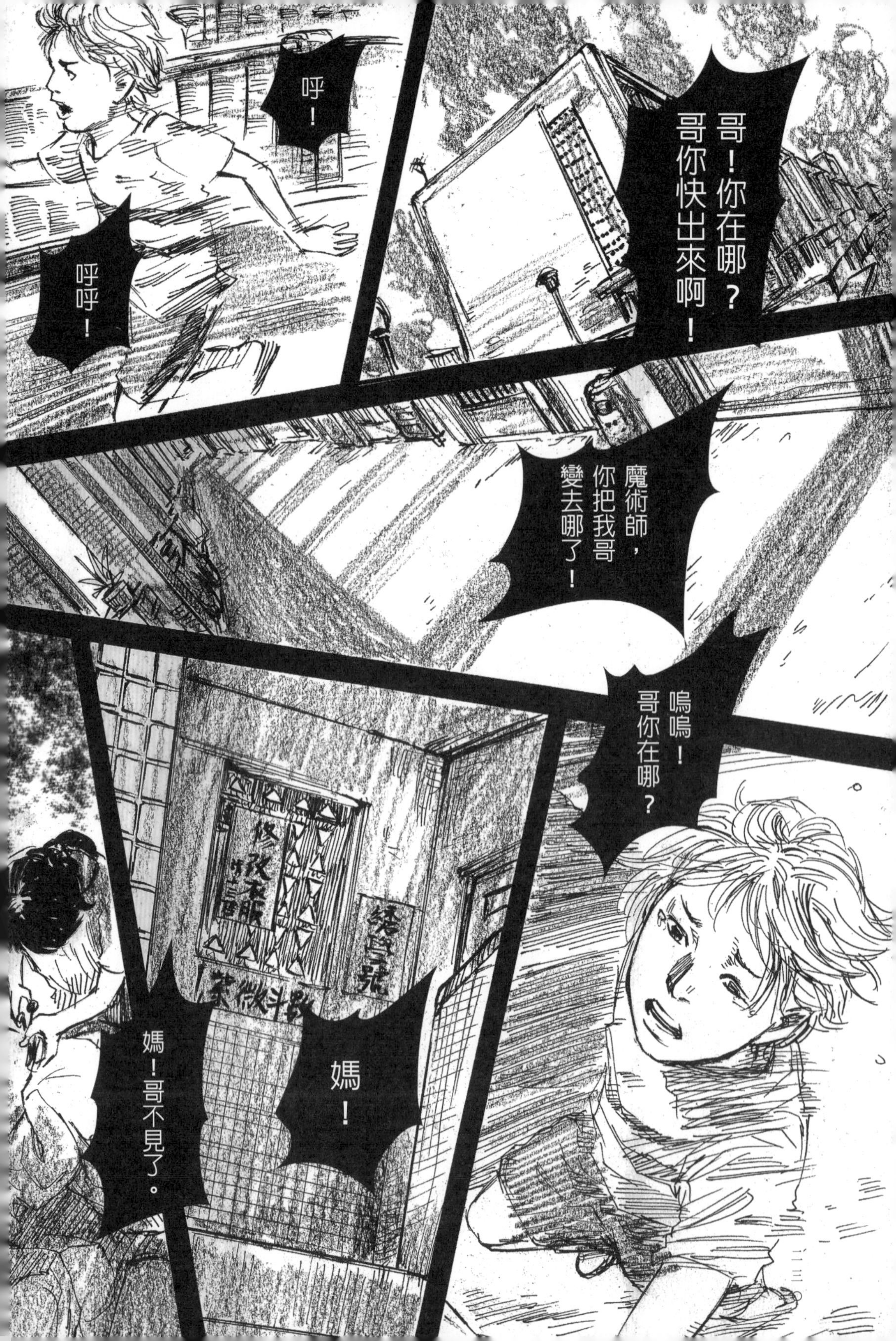
哥！你在哪？
哥你快出來啊！
呼！
呼呼！
魔術師，你把我哥變去哪了！
嗚嗚！哥你在哪？
媽！
媽！哥不見了。

唔？
爸！爸！
我在想什麼，他聽不見我的……
我明明知道他愛哥哥，卻恨我……

我不曉得，
是不是沒有人能夠
平均地去愛一對長得一模一樣的人。

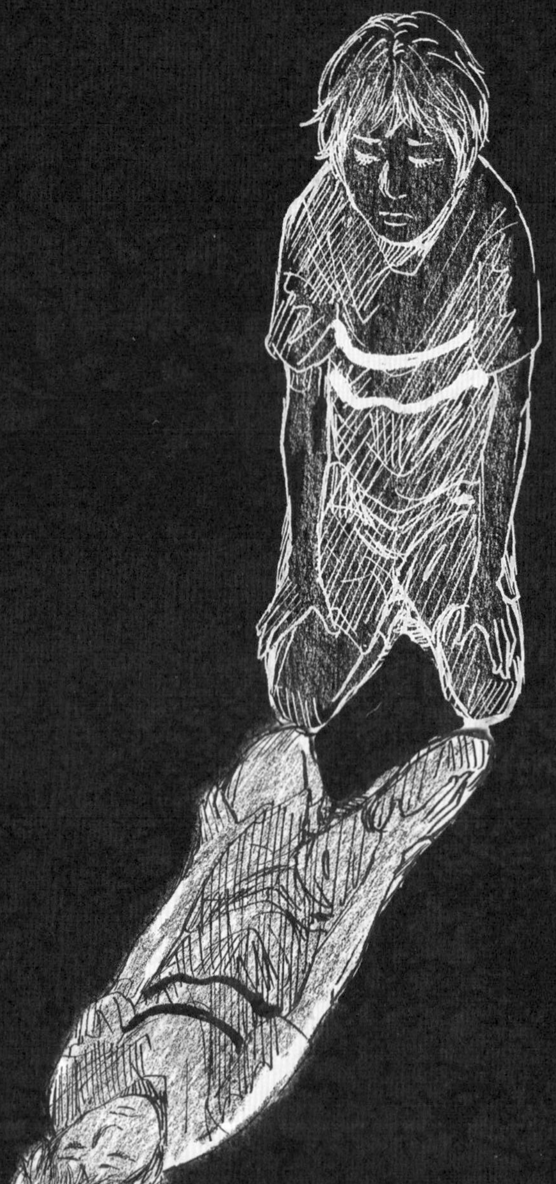

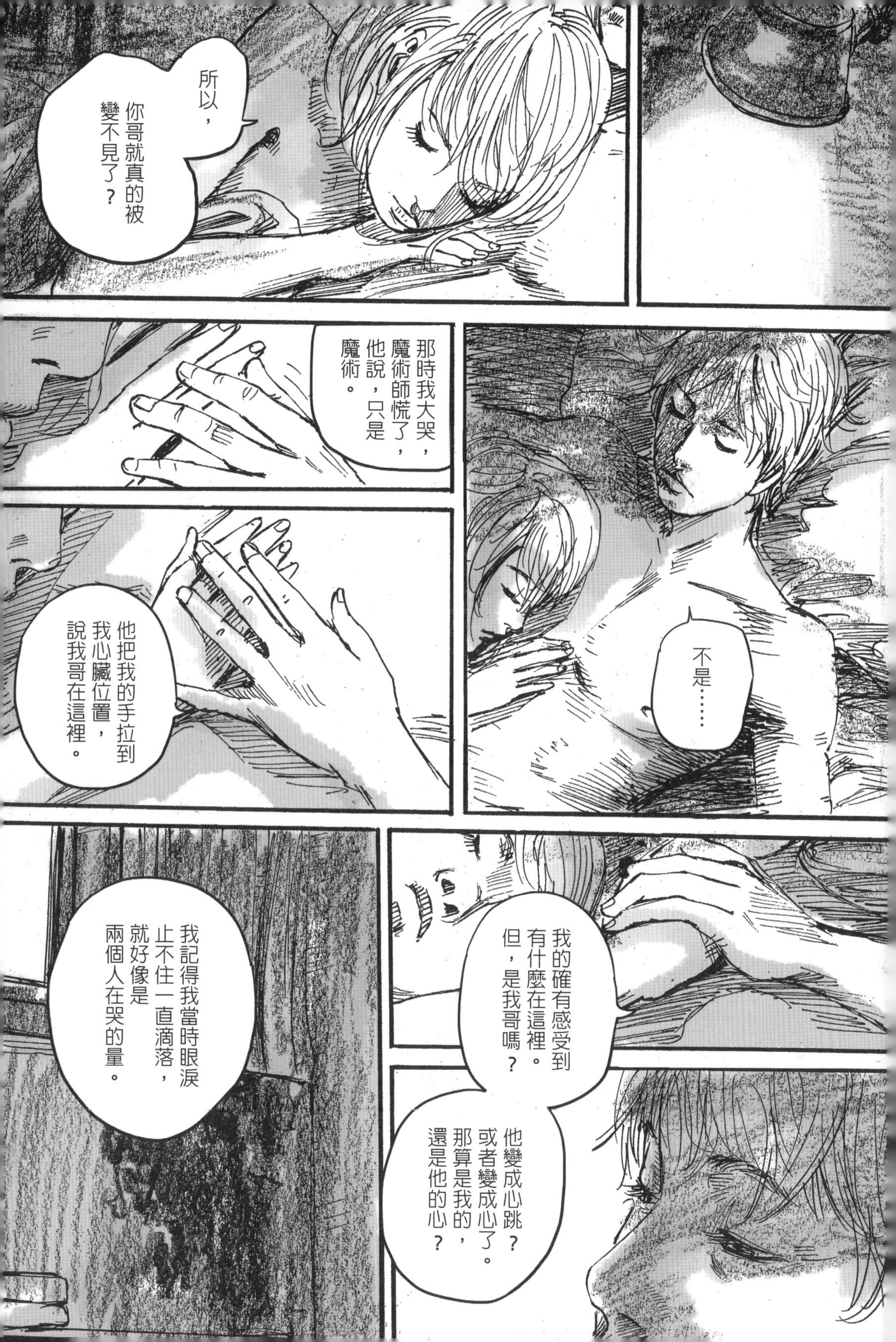
所以，你哥就真的被變不見了？
不是……
那時我大哭，魔術師慌了，他說，只是魔術。
他把我的手拉到我心臟位置，說我哥在這裡。
我的確有感受到有什麼在這裡。但，是我哥嗎？
他變成心跳？或者變成心了。那算是我的，還是他的心？
我記得我當時眼淚止不住一直滴落，就好像是兩個人在哭的量。

後來，魔術師拿出一本作業簿。
他翻開某一頁，上面有我哥的素描畫像。
他叫我把手按著作業簿，閉上眼睛，專心想著我哥。
一、二、三——
我哥就站在我旁邊，茫茫然的，剛起床的神情。
回想起來……
那是我和哥哥共處的最後一個夏天。

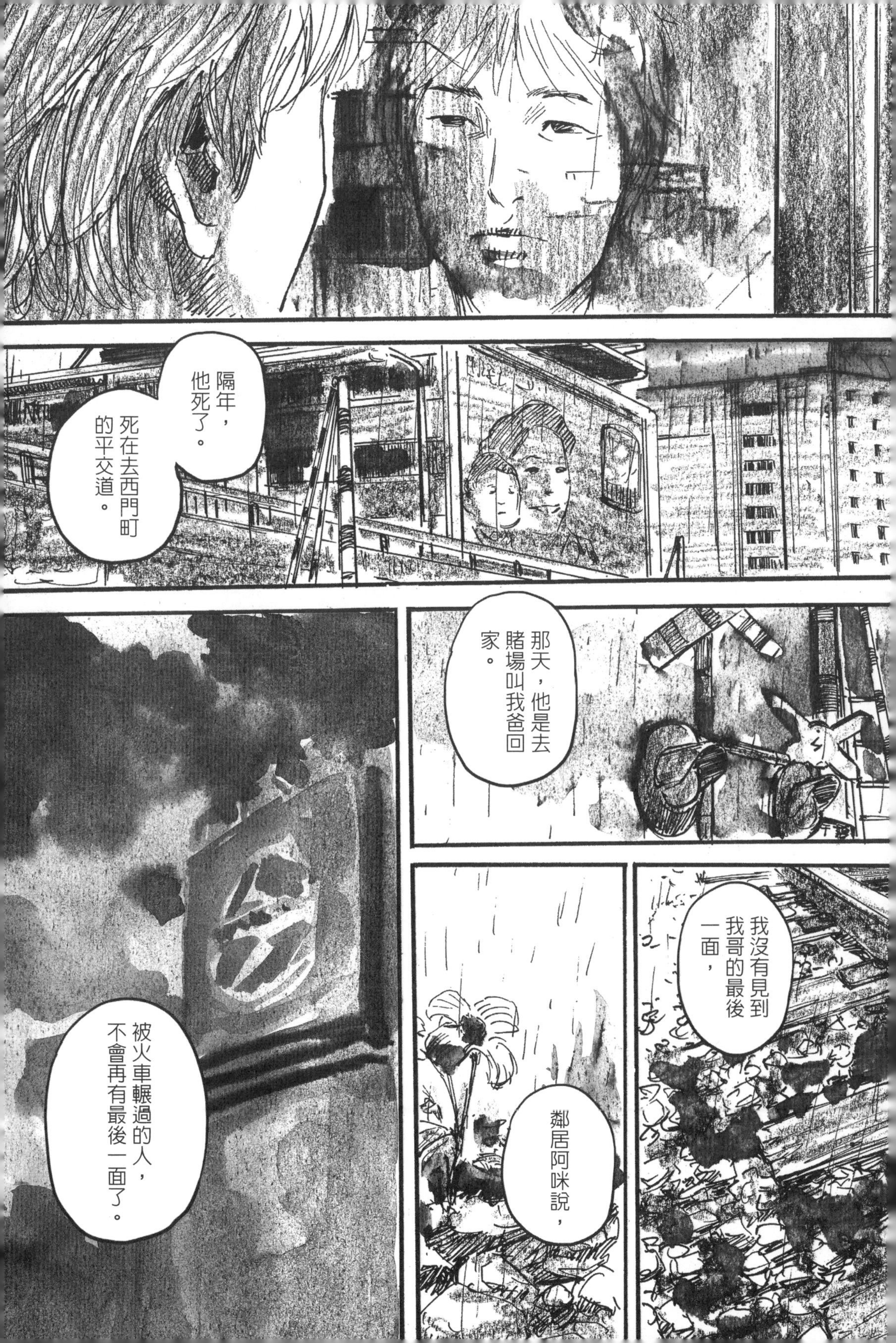
隔年，他死了。
死在去西門町的平交道。
那天，他是去賭場叫我爸回家。
我沒有見到我哥的最後一面，
鄰居阿咪說，
被火車輾過的人，不會再有最後一面了。

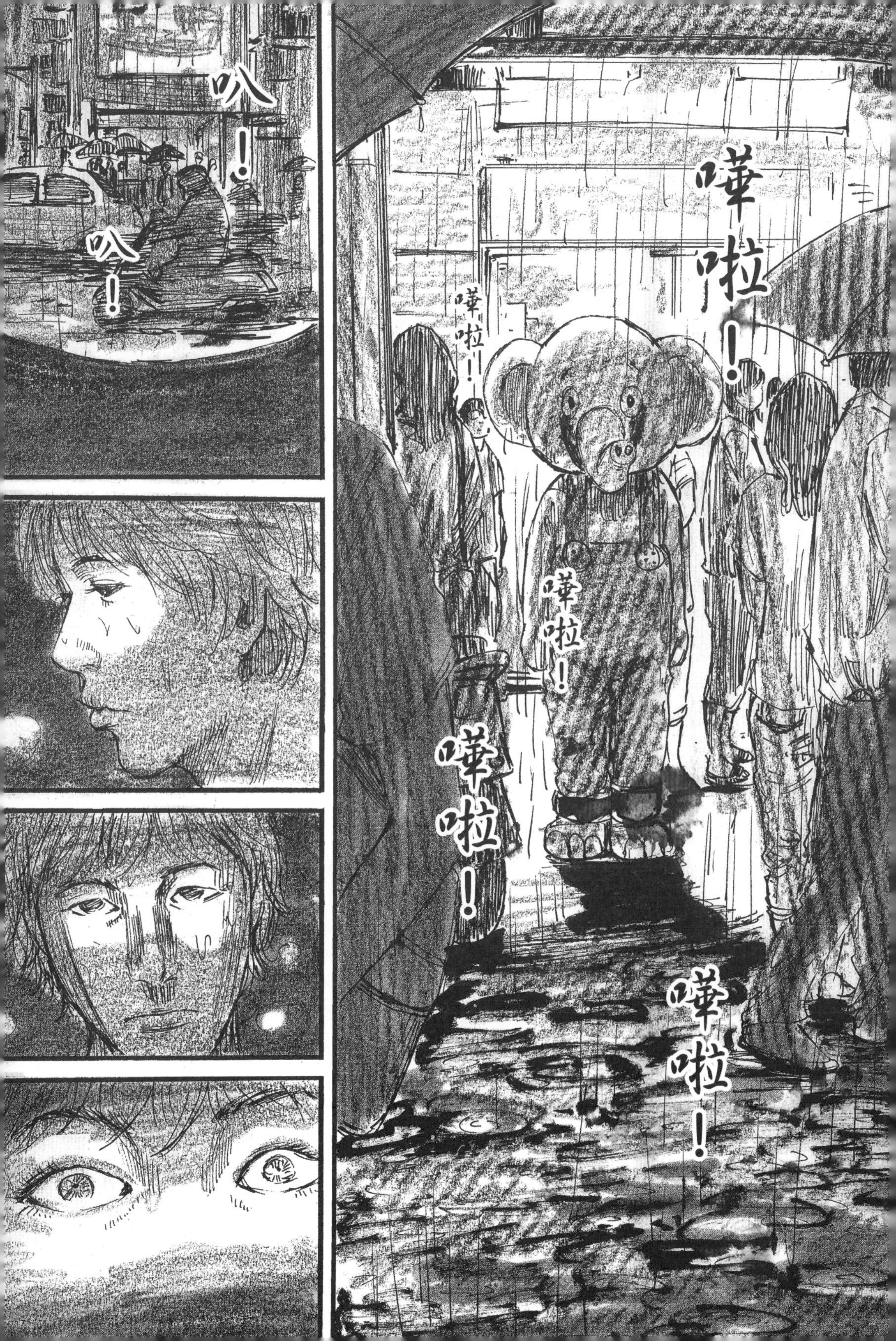

叭！
叭！
嘩啦！
嘩啦！
嘩啦！
嘩啦！
嘩啦！

嘩啦！
嘩啦！
嘩啦！
我不用看他的臉
就能認得他的背影。
小時候他和母親吵架時
總是不發一語，異常
決絕地轉身而去。
母親過世後，家裡
只剩我們兩個，
他一看見我也是如此。

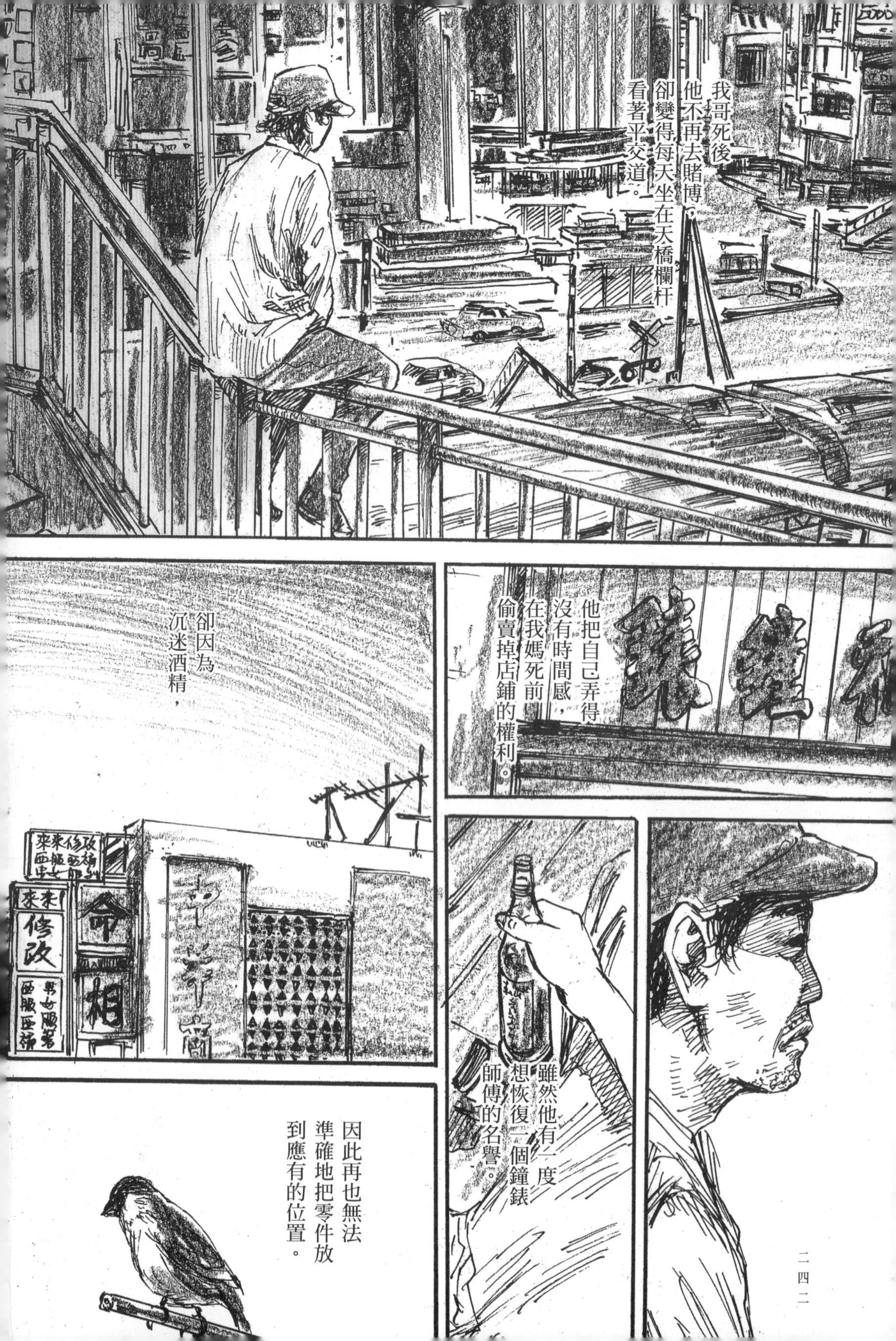
我哥死後
他不再去賭博，
卻變得每天坐在天橋欄杆
看著平交道。
他把自己弄得
沒有時間感，
在我媽死前
偷賣掉店鋪的權利。
雖然他有一度
想恢復一個鐘錶
師傅的名譽。
卻因為
沉迷酒精，
因此再也無法
準確地把零件放
到應有的位置。
命
相

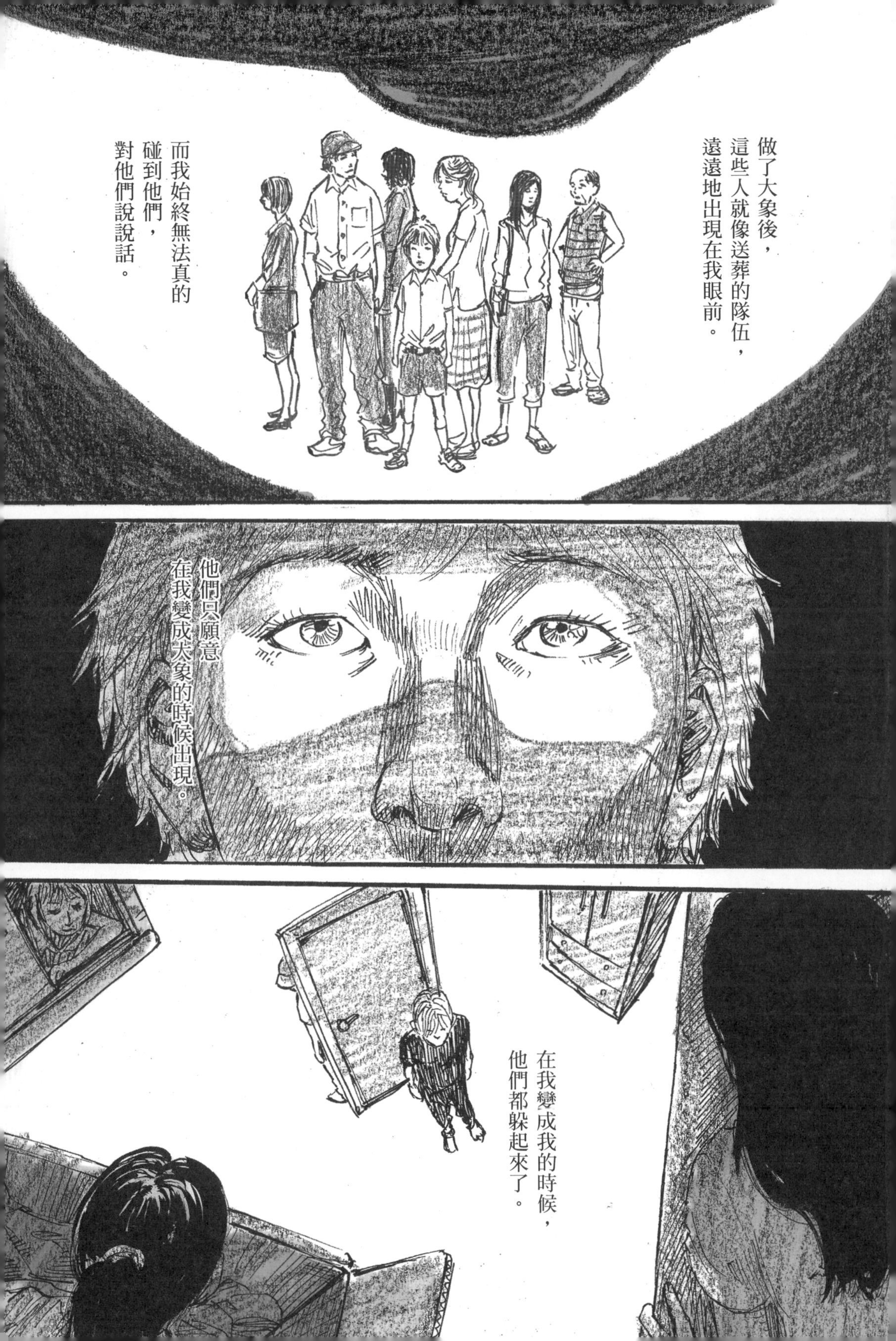
做了大象後，
這些人就像送葬的隊伍，
遠遠地出現在我眼前。
而我始終無法真的
碰到他們，
對他們說說話。
他們只願意
在我變成大象的時候出現。
在我變成我的時候，
他們都躲起來了。

可以教我隱身咒嗎？
烏鴉，
嗯。

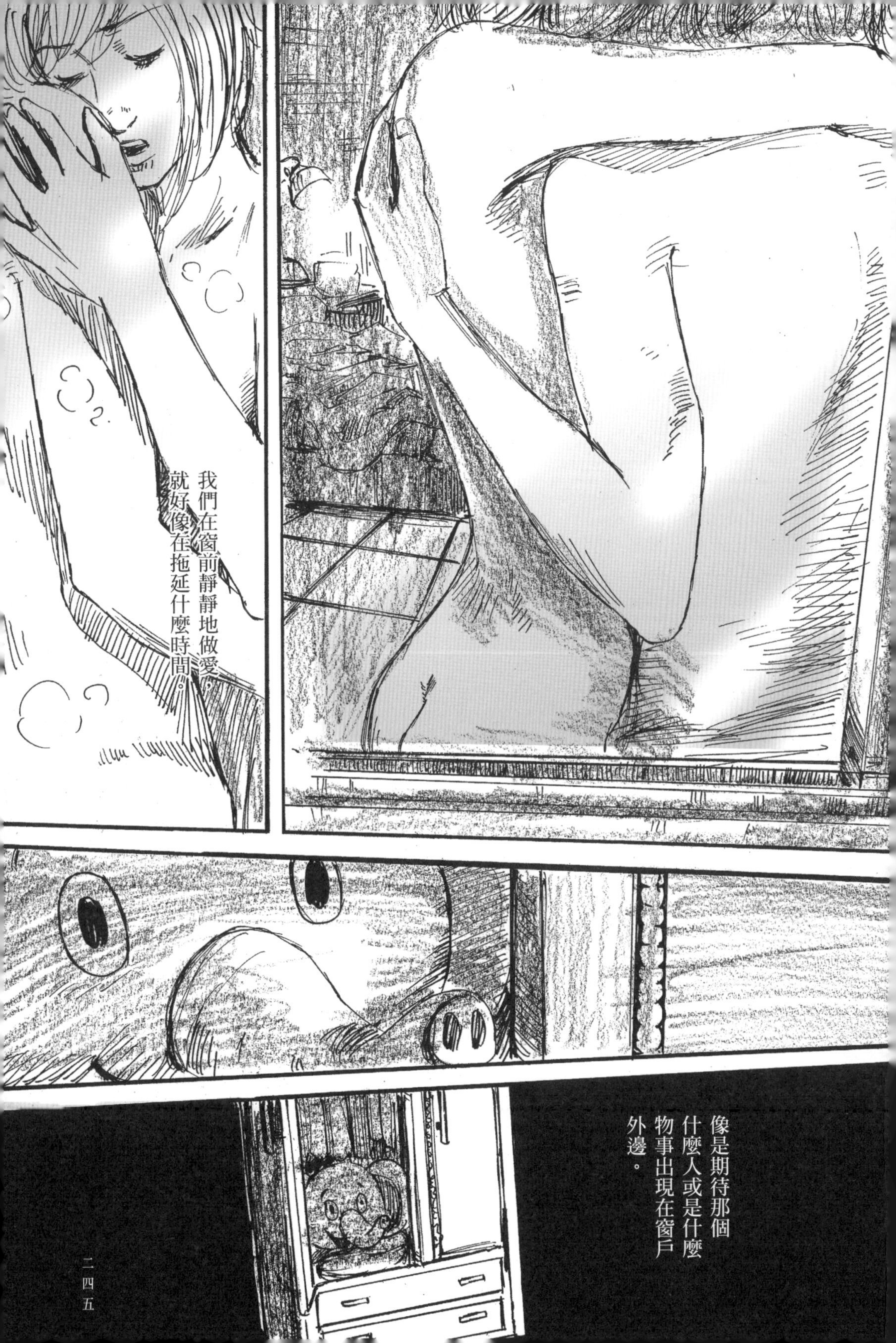
我們在窗前靜靜地做愛，
就好像在拖延什麼時間。
像是期待那個
什麼人或是什麼
物事出現在窗戶
外邊。

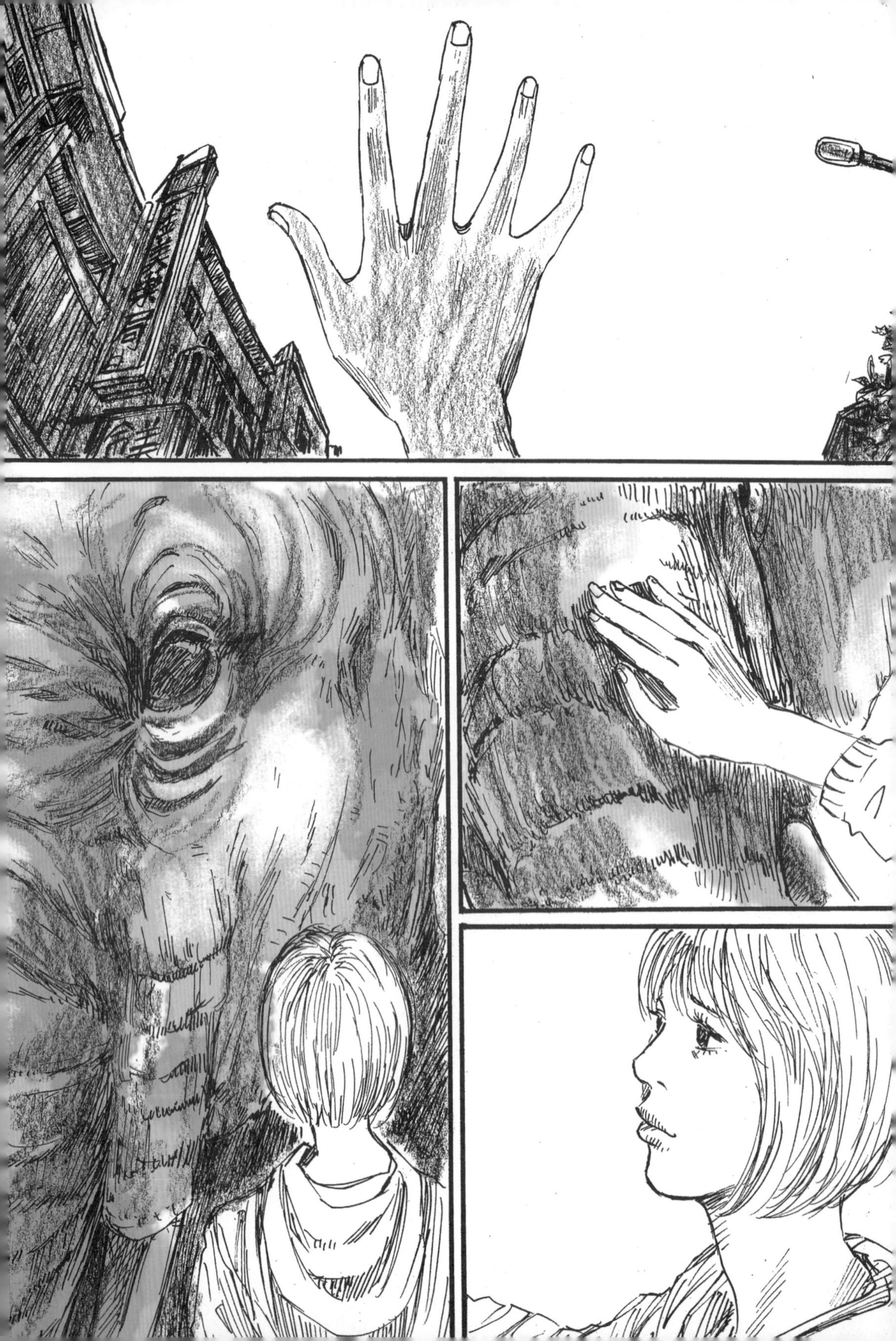

早上，
我離開烏鴉的住處。
我知道
我和他不會再碰面了。
昨夜睡前我問他，
還有再穿過大象裝嗎？

他說，
再也沒有了。
我始終沒告訴他，
我小時候也住商場。
我住平棟。
而我，
也沒告訴他……

我也是曾經圍在魔術師身邊的一個孩子

唔……
來來
修改衣服
西服西褲

後記：在天橋下仰望的漫畫創作者

這本漫畫的誕生首先要感謝帶我上天橋見到吳明益老師的唐薇跟悠翰，雖然這樣講好像在形容七夕的喜鵲。

二〇一五那一年因為唐薇的腦洞大開，於是在那年的朗讀節活動中想到一個將小說用圖像翻譯的點子。而我比其他漫畫作者幸運很多很多，因為我跟他們夫妻是麻吉，才有這個機會接觸到文學這一塊，接觸到超級厲害的吳明益老師。現在每次出去演講都還是會提那次很精采的朗讀節活動，這樣的緣分真的切合「魔幻寫實」這個詞。

改編真的超級難，而且那次畫的時間並不寬裕。然而寬裕也有可能演變出另一個或是更多個舉棋不定，而我又是「狡怪（káu-kuài）」的孩子，不想只按照小說節奏去演繹，所以當時的壓力滿大，卻是必須的。

我的劇本都是在腦子裡，所以溝通過程大多是在空氣中形容空氣的模樣。我記得只跟明益老師通過一次電話，是為了釐清小說裡的時間軸，我想他當時也充滿憂心吧？為了讓他安心點，我偶爾會傳草稿的照片給他，再次碰面已經是草稿完成了，要修正台詞時。

畫漫畫最難的是畫出小說中的感覺、意境、哲思。文字可以堆疊、用具體的物事去形容，譬如「冰淇淋掉在地上融化呈現扭曲痛苦的形狀」，從字面上確實不難理解是透過具象去形容角色的心境，可是漫畫不可能那樣畫，一不小心就會變成搞笑漫畫。再者，有些語句會斷在一個詞，留下空白讓讀者想像，但是漫畫是具象的呈現，而我所謂的留白並非像水墨山水畫那樣。要在具象的人與物件上畫出內心的感覺的確很難，例如：「透明的金魚躺在地上像是冰塊，怎麼找就是找不到。」畫出透明感不難，但是要畫出字句上的失落、無助、孤寂就需要靠其他的畫面與台詞輔助。而漫畫分鏡是定格，無法像攝影機那樣，做出變焦或特定視覺效果。我寫到這邊你們有沒有感受到圖像化的困難之處？不過也因此，這樣的改編讓我的圖像語言跟文字能力提升許多，對創作者來說這樣的經驗很珍貴。

謝謝心愉與新經典文化容忍我超級的拖稿能力，交稿時間一延再延，因為在執行《天橋》的期間也在畫自己的作品。我必須說跟我配合的編輯與出版社真的都是菩薩來著，我真的上輩子有燒好香，以後我會盡量不拖稿。

最要感謝的是吳明益老師。作品都是作者投注靈魂，絞盡心力的產物，願意將用靈魂揉出來的作品交給另一個創作者，真的需要很大的認同與相信，謝謝明益老師的相信。我自己清楚我的漫畫改編仍有許多可以進步的空間，如同上天橋時那樣一步一步，但這是以我目前的能力，能做到的最好的模樣。

希望自己繼續進步，有那麼一天，踏上天橋，見到魔術師。

文學森林 LF0118

《天橋上的魔術師 圖像版》阮光民 卷

A graphic novel adaptation by Ruan Guang-Min of selected stories from
The Illusionist on the Skywalk and Other Stories by Wu Ming-Yi.

作者

阮光民 Ruan Guang-Min

漫畫家。作品深具人文色彩，擅長捕捉台灣庶民的生活，以及人與人之間的溫情義理，藉著樸實無華的畫風試圖尋找台灣值得代代相傳的生存價值。歷年多次榮獲大獎肯定：《東華春理髮廳》與《用九柑仔店》亦改編成偶像劇。創作品：《東華春理髮廳》、《幸福調味料》、《天國餐廳》系列三冊、《警賊：光與闇》系列二冊、《用九柑仔店》系列五冊等，並跨界合作舞台劇《人間條件》漫畫版及《天橋上的魔術師 圖像版》，備受矚目。

原著

吳明益 Wu Ming-Yi

現任東華大學華文文學系教授。曾六度獲《中國時報》「開卷」年度好書。入圍曼布克國際獎（Man Booker International Prize）、愛彌爾‧吉美亞洲文學獎（Prix Émile Guimet de littérature asiatique），獲法國島嶼文學小說獎（Prix du livre insulaire）、日本書店大獎翻譯類第三名、《Time Out Beijing》「百年來最佳中文小說」、《亞洲週刊》年度十大中文小說、台北國際書展小說大獎、台灣文學獎長篇小說金典獎、金鼎獎年度最佳圖書獎等。著有散文集《迷蝶誌》、《蝶道》、《家離水邊那麼近》、《浮光》；短篇小說集《本日公休》、《虎爺》、《天橋上的魔術師》；長篇小說《睡眠的航線》、《複眼人》、《單車失竊記》，論文「以書寫解放自然系列」三冊。作品已售出十餘國版權。

封面繪圖　阮光民
視覺設計　陳文德
版面構成　呂昀禾
編輯協力　陳柏昌
行銷企劃　楊若榆
版權負責　李佳翰
副總編輯　梁心愉

ThinKingDom 新經典文化

發行人：葉美瑤
10045 台北市中正區重慶南路一段 57 號 11 樓之 4
電話：886-2-2331-1830　傳真：886-2-2331-1831
讀者服務信箱：thinkingdomtw@gmail.com

總經銷：高寶書版集團
11493 台北市內湖區洲子街 88 號 3 樓
電話：886-2-2799-2788　傳真：886-2-2799-0909
海外總經銷：時報文化出版企業股份有限公司
33343 桃園縣龜山鄉萬壽路 2 段 351 號
電話：886-2-2306-6842　傳真：886-2-2304-9301

初版一刷 二○一九年十二月三十一日
定價 新台幣三六○元
ISBN：978-986-98015-9-1

文化部 MINISTRY OF CULTURE 贊助